CHAOJI CHENGZHANG BAN
MAOXIAN
XIAOHUDUI

超级成长版

冒险小虎队

林中飘过白衣女人

MAOXIAN
XIAOHUDUI

[奥地利] 托马斯·布热齐纳　著

维尔纳·埃曼　插图

刘沁卉　译

浙江少年儿童出版社

冒险小虎队成员个人档案

名:路克(路卡斯)　　姓:坎平斯基

年龄:11 岁
生日:2 月 1 日
发色:稻草金
眼睛颜色:蓝中带绿
个人特点:身边总带着百宝箱

我喜欢
食物:汉堡加薯条
饮料:柠檬可乐
颜色:绿色
动物:狐狸
音乐:只要是我能跟着哼哼的音乐我都喜欢
课程:物理,数学
业余爱好:遥控模型(曾制作了一台会走的冰箱)

我讨厌
思路中断,整洁(我很少有井井有条的时候),为达到目的无所不为的人和自以为无所不知的人

梦想的职业:发明家
最大的愿望:拥有一台和我爸爸那台一样好的电脑

冒险小虎队成员个人档案

名:碧吉　　姓:波尔格

年龄: 12岁
生日: 6月12日
发色: 金黄色
眼睛颜色: 海水蓝
个人特点: 身边总带着吃的东西

我喜欢

食物: 榛子巧克力
饮料: 热带水果饮料
颜色: 橙色
动物: 美洲驼
音乐: 摇滚乐
课程: 生物
业余爱好: 收藏,写日记

我讨厌

萎靡不振的男孩,老说废话的人,家庭作业,太短的假期,无视我的大人

梦想的职业: 兽医或飞行员
最大的愿望: 有一匹属于自己的马

冒险小虎队成员个人档案

名:帕特里克　姓:施泰因布伦纳

年龄:12 岁
生日:7 月 28 日
发色:黑
眼睛颜色:典型的深棕色
个人特点:总是穿着运动服

我喜欢
食物:比萨饼
饮料:冰茶
颜色:蓝色
动物:我的小兔子班尼
音乐:一种节奏较快较强的电子音乐
课程:课间休息
业余爱好:各种体育运动

我讨厌
考试,不光明正大的人,愚蠢的人,坐火车,穿着太紧并使皮肤发痒的漂亮衣服

梦想的职业:特技演员
最大的愿望:跳伞

欢迎你成为第四只小虎
请你也介绍一下自己

名:

姓:

年龄:

生日:

发色:

眼睛颜色:

个人特点:

贴上
你的照片

我喜欢

食物:

饮料:

颜色:

动物:

音乐:

课程:

业余爱好:

我讨厌

梦想的职业:

最大的愿望:

林中飘过白衣女人

　　好,第四只小虎,你马上就要进入破案现场了,准备一下吧!请你先熟悉一下你手中的破案工具——多功能特种解密卡。

功能 1·小虎解密卡

🐅 **冒险小虎队· 秘密记录**

(请你回答的问题)

小虎解密卡

在"请你回答的问题"中,所有的答案都被加密了。你必须把小虎解密卡平放在灰色的区块上,并缓缓地转动,直到你看清文字为止。

功能 2·暗语破译卡

小虎队员留下暗语时,你需要使用暗语破译卡进行破译。

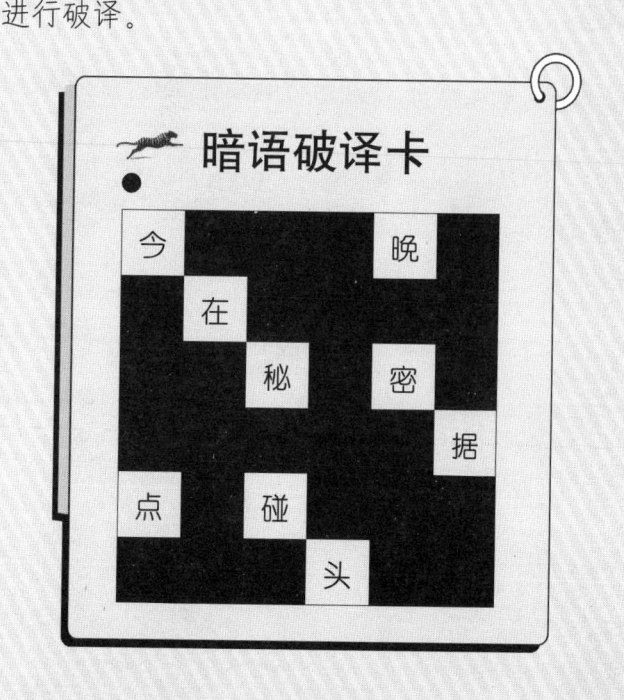

1. 将卡片平放在暗语上,使卡片左上角的圆圈对准暗语左上角的圆点,这时你能够从方格中

看到文字,这就是暗语的第一部分。

2．将卡片沿顺时针方向旋转90度,使卡片上的圆圈对准暗语右上角的圆点，这时你从方格中看到的文字是暗语的第二部分。

3．继续将卡片沿顺时针方向旋转90度,使卡片上的圆圈对准暗语右下角的圆点，你又能看到文字了。

4．最后再将卡片沿顺时针方向旋转一次,使卡片上的圆圈对准暗语左下角的圆点，你看到的是暗语的最后一部分。

功能3·定位搜索卡

将定位搜索卡平放在插图上,使卡片上的圆孔对准插图上的圆点,卡片上的方孔对准插图上的方点,这样就能把你要搜索的目标准确定位在某个区域了。

记住:每答对一题,就给自己记 1 分,并将最终得分填在书末的破案成绩卡上。

现在请你进入破案现场!

目录 *mulu*

超级成长版

冒险小虎队（长篇小说）

林中飘过白衣女人

MAOXIAN

XIAOHUDUI

让她去死

"路克,你真的没事吗?"碧吉一脸茫然,睁大双眼细细地打量着自己的朋友。

帕特里克则蹲在一截树墩上,一边在粗枝上胡乱地刻画着,一边气呼呼地冲着路克发着火:"你这神秘兮兮的样子真让人受不了。都什么时候了?我的肚子都快饿出个窟窿来了。"

"嘘!"路克示意两个同伴别出声。他蹲在一张展开的彩色桌布上,脑袋慢慢地转来转去。

"你这是干吗呀?着了什么魔呀?"帕特里克没好气地数落着。

然而路克就像什么也没听见一样。

"碧吉,你从这儿走开去,边走边小声数到九十九。"路克命令道。

"幸亏有手机！现在得给精神病院打电话了。"帕特里克抱怨着。

路克究竟是怎么了？

清晨一大早，路克就给碧吉和帕特里克打了电话，邀请他们出去野餐，碰头地点在城外森林中的一块空地上。从森林的一个入口开始，他会在沿途的树干和灌木上系上橙色布条，便于两只小虎循着布条找到他。

由于是星期六，不用上学，碧吉和帕特里克接受了这个神秘的邀请，骑上自行车出门了。他们没费什么周折就在森林里找到了路克，但野餐可不像他们想象的那么富有诗情画意。

只见路克坐在桌布上，眼前放着一只手编的野餐提篮。他朝两个同伴点点头，说："你们很奇怪我为什么要组织野餐，觉得这不像我的风格，是吗？"

帕特里克惊讶地挑起了眉毛。几分钟之前,他就向碧吉说出了这样的疑惑,可是,他们当时离路克还有一百多米远呢,他不可能听到他们说话的呀。

还有更叫他们惊讶的事儿:野餐提篮里空无一物,没有吃的和喝的。这也罢了,路克还净指使他们去干些莫名其妙的事。他吩咐帕特里克爬上一棵树,然后再下树在地上匍匐前进;碧吉的任务是站到一棵大树后面哼唱一首流行歌曲。

"我真不赖!"帕特里克听见路克说。

帕特里克龇牙咧嘴地伸出两手在空中比画着,像是要把路克捏成碎末。

"不,不!"路克激动地喊起来,一副惊魂未定的样子。他急得团团乱转,目光在树木之间来回搜寻。

"开个玩笑嘛!我不会拿你怎么样的。"帕特里克幸灾乐祸地笑着安慰路克。但路克对此毫不理会。

　　"让她去死!"路克激动地低声说道,"我听得一清二楚,'让她去死!'"

　　"路克,你是不是发烧了?"帕特里克小心翼翼地问。

　　路克把头摇得像拨浪鼓:"是这个篮子告诉我这个信息的。我在里面装了几种仪器:一架照相机、一架录像机、一台袖珍录音机和一个麦克风。它能捕捉到很远距离以外的声响。"

　　碧吉被路克的话吸引了过来。她不相信地摇了摇头:"那你为什么请我们来参加一个子虚乌有的野餐呢?"

　　"我想测试一下这只篮子,看看能不能用它监视别人而不被发现。你们是我最佳的测试对象。"

　　帕特里克气得直喘气。现在他知道路克为什么能一字不差地重复他的话了。

　　"但是,刚才我听到了一个声音!"路克有点气喘吁吁地接着说,"就在附近的

某个地方。那个声音说:'让她去死。'"路克从左耳里掏出一只袖珍耳机,随即又重新塞回去,屏住呼吸侧耳倾听着。

"什么也听不到了。"路克小声说,"但声音是随风传来的。现在我们得顶着风走,或许能看见什么人。"

碧吉和帕特里克打量着路克,一脸的迷茫。他不会又在玩什么把戏吧?不等两人回应,路克就已经起身迈动脚步了。

冒险小虎队 · 秘密记录

路克要朝哪个方向搜寻?

飘移不定的白衣女人

"他这回可是认真的。"碧吉小声地对帕特里克说。随后她也倏地站起来，跟了上去，还招手示意帕特里克跟上。帕特里克摇摇头，很不情愿地挪动了步子。

路克已经在他俩前面好远了。碧吉刚要喊他，却发现他正蹲在一个大木堆后面，下嘴唇抖个不停，看样子很激动。这是为什么呢？碧吉没发觉有什么异常。

"你看见什么了？"碧吉上前几步，蹲在路克背后轻声问道。

路克紧张地擦拭着眼镜，从牙缝里挤出一个字儿："鬼！"

帕特里克这会儿也赶过来了，在碧吉和路克身边蹲了下来。碧吉看了帕特里克一眼，又伸出手指在脑门上点了点，意

9

思是路克的脑瓜肯定是哪儿出问题了。

路克像电影里的慢动作一样缓缓地起身,目光越过高高的木堆向前方窥视。他一边目不转睛地看着,一边用颤抖的手轻轻拍了拍碧吉的脑袋。

碧吉好奇地转过身来,半抬起身子,沿着他的目光望去。

顿时,恐惧如强劲的电流迅速传遍了碧吉的身体。这下她可再没心情嘲笑路克了。就在大约百步开外,一个白色身影在林间飘忽移动着。

那是一个身材苗条的女人,她身着一袭薄薄的白色长袍,袍子样式古旧,上身紧收,裙摆蓬松,腰部用系成蝴蝶结的宽带子束起,领口、袖口和裙边都点缀着花边。一条长长的面纱遮住了她的面孔和头发。

木堆后面,帕特里克也探出头来观望,见此情景,他拼命地大口喘气。

那白衣女人仿佛光做的一般,在林间光芒四射。谁也看不清她是站在苔藓上,还是飘在地面上方。

"现在你们相信我了吧?"路克跟另两只小虎耳语道。

碧吉和帕特里克此时目瞪口呆,勉强点了点头算作回应。

刚才用高灵敏度麦克风捕捉到的那句话,仍然在路克耳边回响。

让她去死!

那声音为何如此恐怖?难道是来自另一个世界的鬼魂发出的声音?

就在这时,小虎们看到了难以置信的一幕:眼前的景象似乎开始黯淡,洁白的长裙突然间变成无数舞动的黑白方点,女人的身形渐渐模糊,最终消失得无影无踪。

三只小虎像被施了魔法一般,就那么呆呆地保持着半蹲姿势——竟没有觉得累，而彼此的目光还停留在白衣女人刚才出现过的地方。

一直屏着呼吸的碧吉这时长长地吐了一口气，一屁股坐到松软的土地上，擦拭着自己流满汗水的脸。

两个男孩也坐到了地面上，帕特里克慢慢地开了口："这是我们三个亲眼所见。"路克总结道："也就是说，这并不是幻觉。"

"在这之前，我还敢拿一整箱榛子巧克力打赌：这世上根本没有鬼。可眼前的情景太不可思议了。"碧吉哑着嗓子嘀咕道。

路克从他形影不离的百宝箱里翻出一台迷你电脑，别看这台电脑比他的手掌大不了多少，却保存着许多有用的信息。路克打开数据库，搜索古代的服装款式，碧吉和帕特里克紧靠在他身后，仔细观察着屏幕上的图片，三个人很快就达

成了一致的意见:当其中一幅图跃入眼帘的时候,小虎们确信,这正是白衣女人穿的长袍。

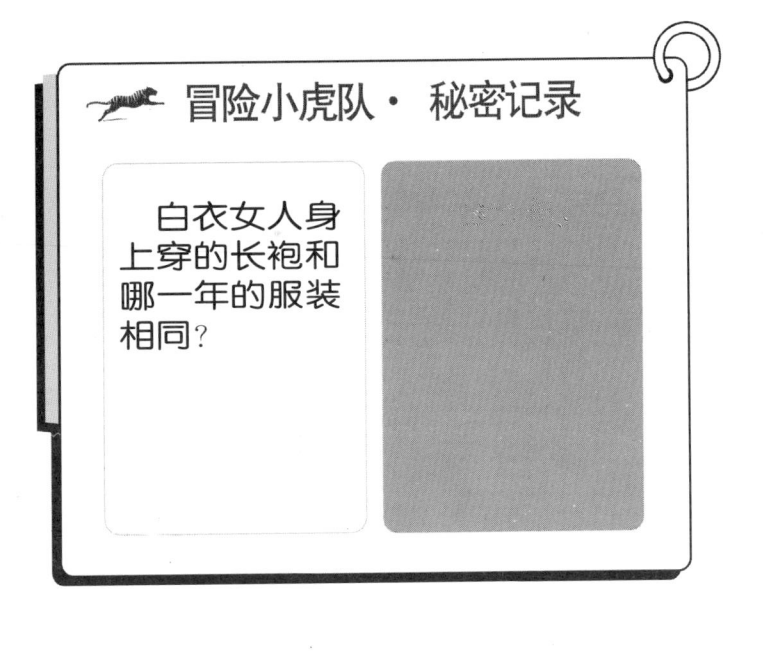

冒险小虎队· 秘密记录

白衣女人身上穿的长袍和哪一年的服装相同?

这是一个真实存在的女孩吗

"哟!原来她是一个活在一百多年前的人的鬼魂。"路克指着图片上的白衣女人喃喃自语。

"我们去查看一下白衣女人出现过的那个地方吧!"不等两个男孩表态,碧吉就行动了起来。路克犹犹豫豫地跟在她身后,帕特里克深吸一口气,也跟了上去。

还没走到目的地,碧吉就停下脚步,朝她的两个伙伴做了个手势。她在风中侧耳倾听,沙沙的树叶声中马蹄声隐约可闻。转眼间,马蹄声越来越近了。

这时,帕特里克发现了一条小虎们一直没有注意到的、踩踏而成的路。这条路由一丛相当茂盛的灌木后面延伸出来,紧挨着路旁有一棵大树,白衣女人就出现在这棵大树下。

一匹强壮的红棕色的马飞奔过来。马背上是一个柔弱的小女孩,看样子正拼命挣扎着不让自己从马鞍上掉下来。

骑马的小女孩和三只小虎都被对方的突然出现吓了一跳。小女孩猛扯缰绳,瞪大眼睛惊恐地望着眼前的三个人;马儿已经受了惊,嘶鸣着将头歪向了一边。路克、碧吉和帕特里克赶紧向后一跳,这才躲过了坚硬的马蹄。

　　马儿大声地打着响鼻,终于停了下来。马鞍上的小女孩扭过头,望了三只小虎一眼。三个伙伴还从来没有见过这么苍白的脸呢!这脸简直就是一张抠出了两个幽黑眼窝的白纸,悬在一件破牛仔衣上晃来晃去,稀松的头发湿漉漉地贴在女孩宽宽的额头上,模样着实让人害怕。

　　"喂!你在干什么呀!"碧吉喊道。

　　女孩像是被人打了一下似的,全身缩作一团。她用脚后跟猛踢马的侧肋,马儿立刻哒哒地跑了起来。

　　"嘿,你差点把我们都撞翻了!"碧吉一边生气地喊着,一边试图追上那女孩。可是女孩策马飞奔,一溜烟儿就消失在密林深处。

　　"她看上去病恹恹的,一个小家伙。"帕特里克说。

　　路克也这么认为。照他推测,那女孩比他们几个还要小三岁,没准儿是四岁。

"骑马的水平也不怎么样。"碧吉说，"我觉得那匹马对她来说大了一号。让她一个人骑马在森林里乱跑，这也太不负责任了。"

小虎们循着女孩来时的路向前走，越走越靠近森林的深处。在一个三岔路口，他们不得不停下脚步：这儿的地面又干又硬，根本没有留下任何马蹄印。女孩究竟是从哪个方向来的，他们没法搞清楚了。

返回的路上，小虎们边走边思索着所有发生的事情。

"那白衣女人和小女孩之间会不会有什么联系呀？"碧吉说出了她的想法。

路克转动着眼珠："你是说，白衣女人是那女孩的守护天使？"

"我说的不一定是这个意思。可是你们想想：那女孩难道就一定是真的存在的吗？会不会也是个幻影，或者是个幽灵？"

"不可能！"帕特里克肯定地回答，"我闻到马的味儿了。况且，它还留下了真实存在的凭证呢。"

冒险小虎队·秘密记录

是什么凭证？

21

分头行动

在刚才路克测试他的电子野餐篮的那片空地上，小虎们遗留下的东西还都好好地放在原地。

"嘿，我们不是打算查看一下白衣女人出现过的地方吗？"碧吉突然想了起来。

"我想回到我们的秘密据点去，上网对她进行调查。"路克说。

帕特里克也不大乐意跟着碧吉再走一遍同样的路了："我们现在才想起这回事，就说明这事没什么重要的。"

碧吉可不这么认为："我得再去一下，我们回头见。"

两个男孩耸了耸肩膀。碧吉的固执己见他们早就习惯了。一旦她决定了什么计划,谁也甭想让她改变主意。他们告别碧吉,走上了回家的路。

尽管嘴上不会承认,但是一个人走在阴森森的树林里,碧吉的心里还是觉得一阵阵发毛。她缩着脑袋匆匆往前走,目光不停地环顾四周,生怕白衣女人冷不丁出现在她身旁。

幽灵出现的地方,那棵大树又高又粗壮,歪歪扭扭的枝桠伸向天空。没有鸟儿歌唱,四周静悄悄的,只能偶尔听到一两声虫鸣。碧吉渐渐不安起来。

碧吉移动双脚,一步一步地朝着白衣女人站过的地方挪去。她咬着牙一点一点地往前挪,这会儿她或许恨不得转身就跑。但碧吉可不是那么容易认输的人。

"咔嚓"一声,一段粗壮的枝桠在碧吉右边折断了。灌木丛里传来一阵叶子摩擦的簌簌响声,碧吉大口喘着气。

　　这会儿，森林里不只碧吉一个人，另外一个人就在几步开外。

　　一切又重归平静。碧吉像个石像般站在那儿盯着灌木丛。没有任何响动。碧吉壮着胆子开口喊了一声："谁？"
　　依然是鸦雀无声。
　　碧吉听到了自己的心跳。她坚持不住了，猛地转过身，撒腿就跑。紧接着，身后传来急促的脚步声和粗重的喘息声：有人在跟着她！那人的步子又重又大，碧吉回过头张望，没想到脑门挨了重重的一击。

小虎队的秘密据点设在一家名叫"金虎"的中国餐馆的地下室里。在这之前，三只小虎搬来了别人扔掉的破旧家具，把他们这个商议重要事情的秘密据点布置得有模有样。在这里，路克有一个小型实验室，还有一台联网的电脑。碧吉负责管理各种手册、剪报、地图和照片。帕特里克弄来了各种健身器械：哑铃、脚踏健身器和划船机。

此时，两个男孩停好自行车，帕特里克启动了打开密门的机关：把餐馆门边的一只金虎雕像的耳朵折下来，再拉一下虎口中的一个杠杆，雕像背后陡峭的楼梯尽头，一扇门应声而开。

路克把野餐篮子放到他的工作台上，启动了电脑。帕特里克坐到划船机上——每回经历了什么惊心动魄的事，他就得做一会儿肌肉松弛训练。现在，帕特里克边练边紧张地关注着路克。路克正在查询有关白衣女人的报道。

一会儿后，路克重重地叹了口气，把身子靠在了椅子背上："跟白衣女人相关的搜索结果有好几千个呢。要是挨个都看一遍，得看到今天晚上。"

帕特里克已经站到了路克身后，往屏幕上扫了一眼。看来很多地方都出现过白衣女人的字样，甚至有的书籍和电影的名字就叫白衣女人。

"嘿，点击这一条看看！"帕特里克指着其中一行字，"这可能是重要线索！"

白衣女人——恐怖电影……

长篇小说白衣女人——策德里克·多克著

白衣女人之夜——贝尔摩尔宫的秘密……

七棵榆树山庄里的白衣女人——一个未解之谜……

白衣女人——森林里巫婆们的秘密协会……

白衣女人复仇记——城堡主人为什么……

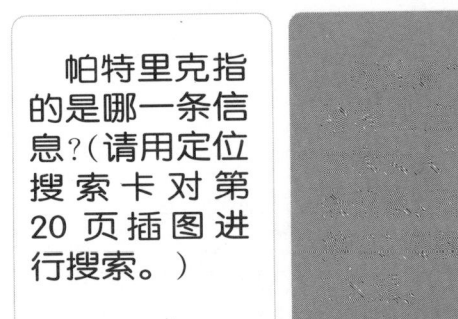

冒险小虎队·秘密记录

　　帕特里克指的是哪一条信息？（请用定位搜索卡对第20页插图进行搜索。）

离开这里，快离开

我这是在哪儿？

发生了什么事？

碧吉只觉得额头的动脉一鼓一鼓地跳动着，脑袋发涨，隐隐作痛。周围是漆黑一片。过了好一会儿，她才回过神来，知道这是为什么。碧吉还闭着眼睛，她从睫毛的缝隙中偷偷向外窥视，看见了一张肥嘟嘟的脸，两颊的肉松弛地垂着。此人头上包着红色方巾，一副海盗的样子，眼睛被深色的墨镜遮住了，公牛般粗壮的脖子上挂着一条沉重的铁链。

碧吉这才明白自己躺在地上。她惊恐地抬起身，用胳膊肘支撑着地面拼命朝后挪，想躲开这个俯身站在她身边的彪形大汉。

　　碧吉再细看,发现彪形大汉穿着皮裤,脚上蹬着摩托车靴子,肥厚的肚皮从敞着扣的、磨损的皮马甲里挺出来,腰带上尖尖的铆钉在阳光下闪闪发光。在他的小臂上,还刺着一只蝎子图案。

　　"别碰我!"碧吉大叫起来,"快走开!"

　　大汉身边有一条弯腿狗,正呼哧呼哧地喘着气。项圈和狗链子上钉着和主人腰带上同样的铆钉。

"我要喊救命了!"碧吉警告他。她的背碰到了一根树干,身子贴着粗糙的树皮一点一点站起来。

狗龇着大黄牙,喉咙里发出咕噜咕噜的低吼声。

大汉面无表情,一言不发地转动着下巴,好似在磨牙。墨镜圆圆的黑镜片像死人的眼睛,直勾勾地盯着碧吉。

碧吉没有别的选择了,她只有冒险赌一把。她用疼痛欲裂的脑袋数着:"一、二、三"——然后嗖地一下跃起来,两条腿仿佛不需要驱使,就自动撒开了大步飞奔。

一路上,带刺的茎蔓划破了碧吉的胳膊,低矮的树枝扫过她的肩膀,可是碧吉几乎没有感觉,她只有一个念头:离开这里!快离开!

碧吉跑呀跑,一直到周围的树木渐

31

渐稀疏时才停下脚步。她跌跌撞撞地走到一块草地上，用双手撑着膝盖，弯下身子大口喘着粗气。碧吉惊恐地向身后张望：那大汉并没有追上来，并且也没有放狗来追她。

额头上的包又开始疼痛了。碧吉渐渐地明白了过来：当时自己慌不择路，一头撞在了树干上，是自己把自己打倒在地的。

等情绪慢慢地稳定了下来，碧吉开始寻找自己的自行车。当时她和帕特里克是在那块林中空地上找到了路克，自行车停在了空地旁边的林间小路上。碧吉翻过一个小山丘，又走过好几条林间小道，在森林里来回兜了快一个小时，最终不得不承认：她迷路了。虽然带着手机，可她不巧正处在信号盲区。这下该怎么找到回去的路呢？

碧吉不知所措，只好沿着眼前这条

小路走下去。最后，她来到一个山丘上，从那儿能俯瞰一小段非常隐蔽的山谷。参天大树之间，一座相当气派的山庄映入碧吉的眼帘。

　　这让碧吉想起了骑马的小女孩。或许在这儿能找到她？

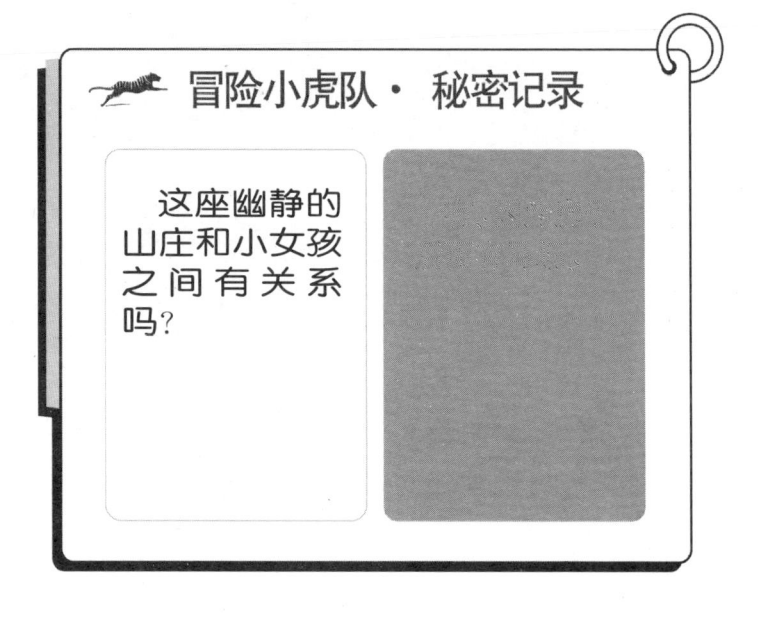

冒险小虎队 · 秘密记录

这座幽静的山庄和小女孩之间有关系吗？

失踪了的伯爵夫人

"碧吉的手机打不通!"帕特里克说。这让他很纳闷。

路克听了,只是"嗯"了一声。那篇关于"七棵榆树山庄里的白衣女人"的报道,他已经在研究第三遍了。

这件事情发生在130多年前。当年这山庄的主人是冯·瞿夫科夫伯爵夫妇。这位伯爵夫人是远近闻名的狂热骑马爱好者和"尖舌妇",她在任何人面前,都对自己的想法直言不讳。有一回,她曾建议体态臃肿的市长要节食,否则他硕大的屁股就得坐三张椅子了;提到她的丈夫,她会对别人说:"他吝啬得连一只看家狗都不肯买,夜里要是听见什么可疑的响动,就让我来学狗叫。"

突然有一天，伯爵夫人失踪了。不久就有可怕的谣言传了开来，说是伯爵由于不堪忍受夫人刻薄的言语，把她杀死后砌进了山庄的某面墙里。一个女仆说，自从伯爵夫人失踪后，就不断看见长着女主人面孔的幽灵在山庄里飘忽游移。

有关"七棵榆树山庄里的白衣女人"的传说，就是从这时开始的。伯爵夫人的幽灵一直缠着伯爵，她要让他为自己的罪恶付出代价。据说最后伯爵无法忍受这种生活，出了远门。他没有告诉任何人去了哪里，从此再也没有回来。因花园里的老树而得名的"七棵榆树"山庄最终由伯爵的一个侄子继承下来，连他和他的后代们也不只一次地提起山庄里出没的女鬼。

她还在复仇吗？

然而，关于冯·瞿夫科夫伯爵夫人是如何遇害的，却始终是一团迷雾。

路克向后仰靠在转椅靠背上，两只胳膊交叉在脑后。他们在森林里看见的，真是伯爵夫人的幽灵吗？路克若有所思地摇了摇头，他可不信鬼，问题是，眼下又找不到其他的解释呀。

帕特里克做着夸张的动作站到路克面前。

"嘿，我说路克，碧吉这会儿早该回来了。她会不会碰上什么了……"

"你真这么认为？"

"对，是的。我们得返回森林去找她。"

"那你自个去吧，我留在这儿。她要是回来，我马上给你打电话。"路克不假思索地回答说。

帕特里克可不大情愿独自返回那幽灵出没的森林，但话已出口，他只能付诸行动。

碧吉的猜测是对的。马场的一角被

树丛遮住了,小女孩骑的那匹马正在那儿吃草。

两行弯弯曲曲的、高大的树木组成的林荫大道,一直通往山庄屋前的圆形场地。茂密的树冠连成一片,阳光丝毫都透不进来。

碧吉踏着浅色的砾石朝前走,双脚迈上宽阔的石阶,来到一扇高大的、漆成黑色的大门前。没有门铃,只有一个粗大的铜环挂在门上。

碧吉还没来得及扣动门环,门就从里面打开了,一个身材苗条的妇人背影出现在眼前。她朝房子里的什么人喊道:"跟孩子们打交道我是非常在行的,建议您一定要带娜塔莉去看看医生!"

接着,一个留着银灰色短发的女人出现在那个妇人的面前。

"大家都知道娜塔莉的遭遇,"银灰色短发的女人说,"医生也帮不了她。您的任务就是教她念书，让她淡忘自己的痛苦，可这一点您似乎没做到。海克尔女士，我们会给娜塔莉找一位新老师的。"

那个被称作海克尔女士的人低声道了别，转身便冲出了房门。她在台阶上和碧吉撞了个满怀，却连一句道歉的话都没有说，就从碧吉身边一闪而过。

黑洞洞的门被人从里面重重推了一下，"砰"的一声关上了。碧吉看看门，又看看那妇人。

"喂，您好！"碧吉朝她喊道。

海克尔女士正朝一辆小汽车跑去。这车碧吉先前还没注意到呢。

"请等一下！"

那女人不情愿地转过身。

"我迷路了。您能告诉我怎么回到城里去吗？"

海克尔女士考虑了片刻，指着副驾驶旁边的车门说："上车吧！"

碧吉刚要坐到那邋遢的座位上,突然听见身后有响动。是什么东西掉下来了吗?

冒险小虎队 · 秘密记录

真有什么东西掉下来了吗?

恍恍惚惚的女孩

　　海克尔女士抢在了碧吉前头，弯腰捡起纸条，迅速地扫了一眼之后就把它揉成一团攥在手心里。

　　"可怜的小家伙。"碧吉听见她喃喃自语。女教师抬头朝三楼的一扇窗户望去，小虎们在森林里撞见的那个小女孩正站在窗口。

　　"这女孩出什么事了？"碧吉问道。

　　然而直到车子驶出林荫大道，拐弯上了一条狭窄的马路后，海克尔女士才回答她的话："她叫娜塔莉。她的父母是这山庄的主人，两个月前他们在一次坠机事故中不幸双双身亡。"

　　碧吉抬手捂住了嘴：这太可怕了。

　　"娜塔莉本来住在寄宿学校里，她只

剩下姑姑和姑夫两个亲人。据我所知,这个家族很不和睦。娜塔莉不认识她的姑姑和姑夫,因为这对夫妇一直住在南美洲,从未露过面。现在,他们赶过来照顾娜塔莉,把她从寄宿学校接回了家。"

"难怪这个小女孩脸色这么苍白,她一定是受了很大的刺激,吓坏了。"碧吉小声说。

海克尔女士点了点头。"莱特纳一家——她姑姑和姑夫姓莱特纳——聘请我做娜塔莉的家庭教师。原本娜塔莉已经恢复得相当好了,可是最近两个星期她整个人都恍恍惚惚的。"

"恍恍惚惚?这是为什么?"碧吉不解地问。

"这些日子她老是提到……"海克尔女士话说了一半又咽了下去,"我跟你说这些干吗?这跟你没半点关系。"

"可我偏偏要问!"碧吉觉得她小瞧

了自己，愤愤不平地嚷着。

这招儿对海克尔女士可不管用。她两唇紧闭，抿成一条线，前胸贴着方向盘，自顾自地开着车。看到第一个公共汽车站的时候，她减速停了下来，示意碧吉下车。

"这儿每隔二十分钟就有一趟开往城里的车。"

"等等，我们今天都看到了……有些事很蹊跷……"碧吉重新试探着，想套出更多有关娜塔莉的事儿。但海克尔女士不接茬儿，开着车就离开了。

帕特里克手拿一根登山杖，在森林里来回穿梭着，不断地喊着碧吉的名字。现在，隔了几个小时，他们刚才看见白衣女人的地方，仿佛变了个模样：周围的树木似乎都换了地方。当然这是不可能的，但帕特里克感觉上是这样。这儿还是找

不到什么线索，没法判断碧吉到底出了什么事。不过好在已经来过一次，帕特里克就大胆地慢慢潜入到白衣女人曾经出现过的树下。头顶上的浓密树冠遮住了太阳，阳光只能零零星星地穿透枝叶，在地面上留下点点亮斑。

一阵风吹过。大树的枝叶随风摇摆，地上的苔藓也仿佛一下子活了起来，无数的光斑在跳动闪烁。

帕特里克感到费解：幽灵出现的地方明明有耀眼的光，而现在苔藓却在阴影里。这世上难道真的有幽灵存在吗？生活在另一个世界里的幽灵不是不能发光的吗？至少电影里是这样的。那么现实生活中的幽灵又该是什么样子的呢？

想到这里，帕特里克禁不住不寒而栗。他屏住呼吸，眼睛朝四面八方努力搜寻着。这时，矮树丛里钻出一只健壮的鹿，它对帕特里克的存在似乎毫无

察觉。

　　帕特里克安静地站在原处,保持着均匀的呼吸。他还从未这么近距离地观察过鹿。

　　看着看着,帕特里克突然有了新的想法,让白衣女人发光的会不会是……看来那真的不是什么幽灵之光。

冒险小虎队 · 秘密记录

白衣女人为什么会发光?

一座被迷雾笼罩着的山庄

帕特里克的大裤兜里突然响起了一阵狼嚎声，那是他的手机发出的声音，手机屏幕上显示着路克的号码。

"是碧吉回去了吗？"帕特里克没打招呼就直接问道。

"她回来了，而且有新发现。你快回到秘密据点来！"

帕特里克长出了一口气，挂了电话。那只鹿被他的声音所惊动，已经跑得无影无踪，现在站在那儿的，换成了一个人。

"您好！"帕特里克怯怯地和他打招呼。

一个身着黑色皮马甲的彪形大汉站在帕特里克面前，眼睛从黑色墨镜后面不动声色地盯着他。大汉身边蹲着一只弯腿狗,充满敌意地朝帕特里克"呼噜呼噜"地叫着。

"呃,我……得回家了。"帕特里克后退了几步,结结巴巴地说。

大汉一动不动,目光却不肯从他身上移开。帕特里克在心里默默地祷告,大汉可千万拉住那条狗。那家伙看上去凶巴巴的,他可不想腿上给它咬一口。

帕特里克见大汉这副模样,不由得全身毛骨悚然。他屏住气,突然飞似的奔跑起来。

在小虎密室里,碧吉脚下的地板上,散落着整整七块榛子巧克力的包装纸。她眼下正撕开第八块,美滋滋地一口咬下去。

"就是这些,再没什么其他可讲的了。"她边嚼边说。

"眼下这些情况就足够了。"路克说,并把互联网上的发现讲给碧吉听。

"这一切太有神秘色彩了!"碧吉说。

"'七棵榆树'山庄绝对不是一个宁静的山庄。"路克接着讲,"娜塔莉的爸爸和他的姐姐汉莉埃塔吵翻了——那是二十年前的事——据说他们的父亲把所有的田产和家当都留给了娜塔莉的爸爸,汉莉埃塔只分到了很少一部分。汉莉埃塔声称是弟弟骗了她,是弟弟强迫父亲这么做的。由于这个家族颇有名望,所以当时有很多相关的报道。最终弟弟给了姐姐一笔钱,并要求她到外国去。汉莉埃塔照办了,而且再也没有回来。"

"打住!"碧吉做了个手势,打断了路克的说话声。

路克的手机响了,铃声听上去像那种老式电话机的声音。是帕特里克,他说话快得让路克都没法一下子听懂。

"慢点慢点,你说一个大汉和一条狗,然后怎么着了?"路克问道。

"那家伙冷不丁就出现在森林里，站在那儿盯着我看。他想放狗来咬我，至少我是这么认为的。我赶紧跑开了，现在刚找着自行车。那家伙可真把我吓了一跳，以前从没见过这个人。"

"我见过！"碧吉在一旁伸长耳朵听见了帕特里克的话，此时插嘴道。

路克挂了电话，摇晃着手里的手机思索着："'让她去死'——一切都是从这句话开始的。一个白衣女鬼，一个骑着马的被吓坏了的小女孩，一幢被重重迷雾笼罩着的老宅，一个带着恶犬的大汉……这一切到底有什么联系呢？"

碧吉把第八块榛子巧克力的剩余部分一股脑儿塞进了嘴里。

"我们是不是该报警？"

"不行，没有证据。况且，整件事听上去真是太荒唐了。"

"爱骑马的人之间总是挺好沟通的。

明天我去马场那边守着,要是娜塔莉出来,说不定能跟她聊上几句。"碧吉说。

路克马上表示赞同:"对,女孩儿家之间好说话。你肯定能打听出什么来的。"

"对了,娜塔莉从窗口扔出来的那张纸条上……"碧吉停了一会儿,"……好像是写着'救命'。我敢肯定。"

"什么?救命?"

碧吉点点头:"也许娜塔莉真的是因为父母的死而精神恍惚。可我就是觉得不对劲。"

"对了,她还有一个亲人,"路克想起来了,"一个叔叔,名叫约翰内斯。"路克转身来到电脑前,在键盘上没敲几下就调出一张约翰内斯的照片,"当年他没有参与遗产的争夺,什么也没要就离开了。据说是去了印度的丛林,在一支印第安人部落里当了援外工作者。"

"这不可能!"碧吉摇摇头。

 冒险小虎队· 秘密记录

碧吉为什么
说不可能呢？

山庄里传出尖叫声

"我刚才说错了,"路克抱歉地说,"他是去了南美洲,在热带雨林中和一支印第安人部落生活在一起。"

"这还差不多。"碧吉满意地点点头。

他们还在等着帕特里克。最后,帕特里克大汗淋漓、上气不接下气地回来了。现在,路克得回家去了,他父母想带他去一个姑姑家。碧吉和帕特里克则决定在游泳池里度过剩下的一段时间。

星期天吃过早饭后,碧吉在森林里找到了自行车,沿着大路朝"七棵榆树"山庄骑去。昨天回来的时候她记住了这条路。快到林荫大道的时候,碧吉下了车,把它藏在树丛里,徒步朝马场走去。

　　马儿已经站在了外面,却不见娜塔莉的影子。碧吉在一棵大树后面等待着。她着急地看看天空:天空中正乌云翻滚,云团越来越密集了。

　　中午的时候她给路克打了电话。路克答应跟帕特里克一起过来陪她,好让她不至于那么无聊。此时,乌云已挡住了太阳,一阵凉风吹过山谷。碧吉盼着娜塔莉至少能出来把她的马牵回马厩,总不能把马儿留在暴风雨中啊!

　　一点多钟的时候,两个男孩如期过来了。路克又带来了他的电子野餐篮,不过这回里面也装了些吃的。他们一直等到下午三点半,这时的天空已经阴沉沉的,远处传来轰轰的雷鸣声。

　　"我有办法了!我们去敲门,就说是出来野餐的,这会儿得到山庄里面避避雨。"帕特里克建议道。另外两只小虎马上表示同意。行动之前,碧吉先把马牵进

了打扫干净、铺着干草的马厩。

等三只小虎来到黑色的大门前时，已经有大大的雨滴从天空坠落，砸在铺着砾石的路面上。帕特里克扣动了黄铜门环。敲门的声音屋内一定听得到，但是没有人来开门。

"他们是不是出门了？"路克看看另外两个人，问道。

正在这时，屋内传出一声持久的、刺耳的尖叫声，听上去撕心裂肺。帕特里克又拍了拍门环，可里面的人就像什么也没听见。

"必须冲进去了！快去找找有没有打开的窗子和门！"碧吉指挥着。碧吉沿着房子的外墙往右跑，两个男孩往左跑，然后在房子背面会合。

这里，有一组弧形的石阶通往一个带着栏杆的阳台，阳台上是全部紧锁着的客厅高大的落地玻璃门。

此时,空中仿佛打开了无数道闸门,大雨倾盆而下。

帕特里克冲进雨中,以便隔着一段距离来观察整栋房子。要想闯进去,看来只有一个办法了。有点难度,但帕特里克想试试。

冒险小虎队·秘密记录

帕特里克准备怎么进去呢?

山庄里又一次传出尖叫声

碧吉和路克站在一楼阳台上,为他们的朋友祈祷着。他们早就全身湿透了,可是两个人几乎毫无感觉。他们屏住呼吸目送着帕特里克一点点地向上爬。

"这管子一定非常滑!"碧吉小声说。

帕特里克还是蛮小心的。他先试探着摇晃一下排水管,确定它在墙里砌得足够牢固之后才开始爬;每迈出一步前,都要保证不会滑倒才落脚。

终于,帕特里克的背影消失在一扇窗户里。他的朋友们也总算松了一口气。他们已经说好,帕特里克一进去,就给他们打开阳台门或者大门。

帕特里克闯进的房间里,弥漫着一股凋谢的花朵的气息。一道闪电划过天

空,将屋子照亮了片刻。只见屋里有张不大的深色木质圆桌,桌上的花瓶里插着几枝枯萎的百合花。

帕特里克歇息了一分钟。然后,他在昏暗的房间里慢慢摸向房门,来到一条长长的走廊里。走廊的另一侧是半人多高的木栏杆,下楼的楼梯就在栏杆后面。

雨水在他上方的屋顶上噼噼啪啪地敲打着。所有的窗户都在闪电袭来时忽明忽暗地闪烁,像方形的眼睛在一眨一眨。帕特里克走到楼梯的台阶前,先往楼下瞥了一眼:就在他的斜下方,好似飘在空气中一般,站着一个男人!帕特里克立刻心跳加剧,慌忙躲到栏杆后面隐蔽起来,然后再偷偷地望过去。

片刻之后,他的眼睛稍稍适应了傍晚时分屋内的昏暗,心里的石头也随之落了地。原来,那男子只是镶在粗木框中的一幅油画,它挂在木栏杆下方的墙面上。

再没有听到尖叫声。这栋房子看上去明明就是空无一人。

帕特里克想尽快和他的两个朋友会合，他一溜烟地冲下了楼梯。

楼梯下面是一个装了护墙板的大厅,四周有许多扇门,还连着一段走廊和下楼的楼梯。跑到最后一级楼梯台阶的时候,帕特里克猛地收住脚步:是什么东西"嘎吱"响了一下?他站在原地,目光环视着大厅里的各个角落。

楼上的一扇窗户"哐"的一声被吹开了,强劲的风刹那间呼啸着扫过房子。就在这时,传来了第二声尖叫!它来自楼上。来不及把路克和碧吉放进来了,帕特里克必须马上采取行动!他两步并作一步,飞也似的又冲上了楼。

眼下,"七棵榆树"山庄已完全处在雷雨之中。一道闪电袭来,山庄的一切都沉浸在刺眼的光芒里;紧接着就是一声响雷,所有的墙面仿佛都被震得瑟瑟颤抖。除了刚才那一扇窗户,又有好几扇窗户打开了。狂风中,这些窗户的窗纱一齐翻飞舞动,好似长长的幽灵之手。

帕特里克禁不住起了一身鸡皮疙瘩：他发现……

白衣女人再次现身了

走廊尽头的房门突然打开了。一个小女孩冲了出来,两条胳膊紧紧地护着头。她已吓得魂飞魄散,像个盲人似的跌跌撞撞冲向楼梯,而帕特里克正气喘吁吁地站在楼梯旁边。女孩没跑多远,窗纱后面露出了一个白色身影。

白衣女人!

这女人手臂直挺挺地伸向女孩,缓缓向前移动着。

直到肩膀被人抓住,娜塔莉才惊觉白衣女人的存在。她仿佛用尽全身力气尖叫起来,手脚拼命地踢打挣扎着。

两个人都没注意到帕特里克。帕特里克像石雕一般站在那儿,一时没有力气采取任何行动。

白衣女人松开了手,娜塔莉朝前一个趔趄。接着,她又惊恐地逃向一段帕特里克还没发现的很狭窄的通向房顶的楼梯。她摔倒了,又挣扎着爬起来,最终手脚并用地往上爬,边爬边绝望地啜泣着。

白衣女人大步流星紧追不舍。两人的身影一同消失在黑糊糊的楼梯上。

帕特里克晃晃身子打起精神,使劲儿深吸一口气,追了上去。

碧吉和路克还等在花园里,因为帕特里克迟迟没露面,所以他俩跑到了草坪上,想通过窗子看个究竟。

路克拽了拽碧吉的胳膊,示意她房顶的中部有动静。那儿有一个方形塔楼,前面和后面各有三扇窗子。

"她在那儿干什么?"碧吉大叫起来。

一扇窗户打开了。娜塔莉从窗口爬了出来,身上只穿着一件单薄的睡衣。

在她身后,一个白色的身影显现出

来了。

"不要!"两只小虎声嘶力竭地一齐喊。

白衣女人伸出了长长的双臂。毫无疑问——她是要把娜塔莉推下窗台!

这时,另一个人出现了。

"帕特里克!"路克喘着粗气高声叫道。

帕特里克犹豫了一瞬间,便铆足劲儿扑了上去。那白衣女人被来自身后的撞击吓了一跳,接着就从碧吉和路克的视野里消失了。

娜塔莉骑在窗户上刺耳地尖叫着,她的一条腿已经伸到了外面。

碧吉两手拢在嘴边,朝着娜塔莉喊道:"千万抓紧了!别跳下来!我们这就来了!"

现在,什么都顾不得了,不得已的情况下他们会打碎阳台的玻璃破门而入。

这时候,白衣女人"通通通通"地奔下楼梯,帕特里克在后面紧追不舍。眼看白衣女人逃到了下一层楼,又拐过了一个墙角;帕特里克继续追赶着,一下子蹦过最后三级台阶,站在了大厅里。

帕特里克发现了墙上木板里嵌着的电灯开关,揿了一下。开关"吧嗒"响了一声,房子里却没有亮起来。看来是停电了。帕特里克转了一圈,那白衣女人早已踪影皆无。

她逃到哪儿去了?

帕特里克挨着个儿把门推了一遍,但所有的门都紧紧锁着。

这时帕特里克听见自己的两个伙伴在敲阳台的玻璃门。他飞跑过去,转动插在室内锁眼里的钥匙,把他们放了进来。碧吉则赶到塔楼里去看娜塔莉;路克和帕特里克则留在二楼,白衣女人就是从这儿消失的。

"老宅子里都会有密门。"路克咕哝道,随即,从百宝箱里拿出两只手电筒。

冒险小虎队 · 秘密记录

密门会在哪儿呢?

小虎提示

本书末的小虎工具房里有侦破窍门综合卡,它会给你重要提示的。

追踪白衣女人

路克拉了一下柜子的门——门是锁着的,没有钥匙;帕特里克试着把一幅画掀起来,但是它钉在墙上牢固得很。这之后,两个人才注意到墙上的挂毯,它的一角是别进去的。拽动这一角的时候,挂毯后面就有动静了。帕特里克掀起挂毯,眼前出现了一个低矮的入口,一个简易的活动木板把它封闭了起来。手电筒的灯柱落到一段狭窄的井道里,这井道从活动木板后的一个平台开始,径直通向深处,墙体上嵌着的金属镫组成了下井的梯子。

"她是逃到这里来了!"路克激动地说。

帕特里克用嘴咬住手电筒,纵身一

跃进了井道。

"要我一块儿下去吗?"路克在上面问道。

下面传来一声模糊的回答,帕特里克嘴里还咬着手电筒呢。路克觉得他是说"好",于是也跟着爬了下去。

上面的塔楼里,碧吉找到了娜塔莉,可怜的小女孩正蜷缩在地板上。碧吉关上窗户,不让雨继续淌进来,然后在瑟瑟发抖的娜塔莉身边跪下来,搂住她的肩膀安慰着她。

"好啦,一切都过去啦。你现在安全了,不会有事的。"她宽慰道。

娜塔莉"哇"的一声哭了出来。

"她追着我不放,没有人相信我!"娜塔莉哭诉道。

"你一个人在家吗?"碧吉问道。

娜塔莉点了点头:"姑姑陪阿图尔姑

夫去看医生了，他病得挺厉害。他们说好马上就回来的。"

雷雨还在肆虐，但闪电和雷声已经不那么密集了。恶劣的天气正在慢慢消退。碧吉扶着娜塔莉站起来，领着她下了楼。

"换上件干衣服吧，然后我们煮点热茶喝。"碧吉建议道。

这段时间里，路克和帕特里克正蜷缩着身子穿过一个低矮的通道。没走几米，通道又拐向了上方，墙上又有嵌好的金属镫。两个男孩爬上去，鼻子里闻到一股令人窒息的气味。帕特里克触到了第二块活动木门，向上一顶，探出了脑袋。

手电光所到之处，帕特里克看见了耙子、铁锨和长柄镰刀。一台拖拉机的发动机从遮篷下探出来，原来他们来到了农具间。身后的路克在催促他了。帕特里克爬出了通道口，发现前面有一扇被风

吹得不停开合的门。他跑过去,把它完全打开。外面仍然是大雨滂沱。路克站在他身边,两人透过眼前昏暗的雨幕向外望去。

农具间门前的地面上,胶皮靴子留下的脚印清晰可辨。脚印通向这扇门,然后又折返回去。不过,地上留下的不只是一串脚印。

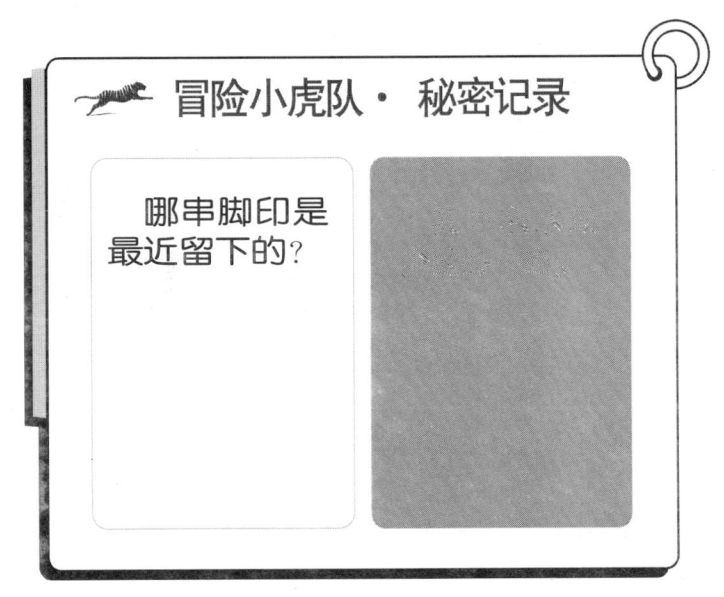

冒险小虎队 · 秘密记录

哪串脚印是最近留下的?

一间幻象丛生的怪屋

　　帕特里克跑出屋外,试图沿着最新的那串脚印追踪下去。地面已经变得非常松软,他的运动鞋深深地陷在了泥地里。没走出多远,足迹就消失了:就在离

农具间十几米远的地方,有条窄窄的小溪,暴雨中溪水漫过了两岸,淹没了草地。帕特里克气得直跺脚,弄得脚下的泥水四溅。任他怎么努力地搜寻,就是找不到白衣女人的蛛丝马迹。这回她是真的消失了。

湿透的衣服冰冷地贴在帕特里克的身上,头上的鬈发也无精打采地从脑门前垂了下来。路克只好同他一道回到屋子里面去。

这回两个男孩缩着身子沿着树下走,谁也不愿意再回到那散发着霉味儿的密道里去了。

敲过门之后,碧吉给他们开了门,两个男孩压低了声音简要报告了他们的发现。

娜塔莉还在瑟瑟发抖,牙齿不停地打战。她给他们拿来了浴巾,并领着三只小虎来到宽敞的厨房。几个人翻腾了一

阵,找到一包薄荷茶。帕特里克用煮水器烧了开水。最后,每个人手里捧上了一杯热气腾腾的茶,总算可以暖暖身子了。

碧吉向娜塔莉介绍了自己和她的两个伙伴,还给她讲了他们从前侦破的案件和冒险的经历。娜塔莉瞪大眼睛认真地听着。

"这白衣女人肯定不是鬼!"帕特里克向娜塔莉保证,"有人想要……"他停顿住了,用询问的眼神看着碧吉。他想起昨天路克偷听到的那句话, 是说到了"死"来着……

碧吉脑子里也浮现出类似的想法。昨天,白衣女人偏偏出现在娜塔莉骑马经过的地方。这难道是故意让马儿和骑马的娜塔莉受惊吗?今天,是不是又想逼娜塔莉自己跳出窗户?

"有人想要害你。"路克接着帕特里克的话说,"我们会把他找出来的。"

"为什么有人要害我?"娜塔莉可怜巴巴地问。

三只小虎一时间尴尬地沉默着。有人企图谋害娜塔莉的性命——这个嫌疑是越来越大了。

为了分散娜塔莉的注意力,碧吉岔开了话题:"这房子可真大呀。在这儿玩捉迷藏肯定妙极了。"

"还有一间'怪屋'呢。"娜塔莉说。

"'怪屋'?"路克从茶杯后面抬起眼睛,不解地看着娜塔莉。

"你们想看看吗?"

三只小虎一致点头。他们身上还裹着浴巾,跟着娜塔莉来到了二楼。几个人从那幅藏着暗道的挂毯旁边走过,来到走廊的尽头。

娜塔莉推开一扇沉重的木门,小虎们走了进去。

这真是一间名副其实的"怪屋"。

　　带来雷雨的乌云已渐渐飘散，窗口透进了更多的亮光，照在屋里无数个正方形木块上。在四壁、地面和屋顶上，木块比比皆是。主人将不同颜色的木料用名贵的镶嵌工艺拼在一起，组成了一个硕大的奇异的图案，其中大多数是由直线、长方形、直角和圆构成的。

　　"这些图案叫做'视觉幻象'。"路克解释说。

　　碧吉在门边发现了一块铜牌。由于被多次打磨过，上面刻着的文字得费好大劲儿才看得清：

　　　　　一切皆幻觉，
　　　　　即便无人信。
　　　　　真象唯一处，
　　　　　水落见石出。

　　文字下方刻着的名字是：

　　　　　贝特拉姆·冯·瞿夫科夫伯爵

　　小虎们把这几行字看了又看。路克

喃喃自语:"伯爵曾被指责将自己的夫人砌进了墙里,最后他也像夫人一样失踪了。所谓'一切皆幻觉'可能是说,他的确是无辜的。"

"'真象唯一处'又作何解释呢?"帕特里克问道,"跟这些奇怪的图案有关吗?"

这一点路克坚信不移:"我们现在看到的都是视觉幻象图案。一条线即使看上去是倾斜的,也并不意味着它真的是那样,那是其他的线条引起了我们眼睛的错觉。"

"'真象唯一处'……"碧吉不断重复着,"这可能是说,其中一幅图不是幻象,它真的是倾斜或扭曲的。"

"而正是那里藏着一个事实真相!"路克接着说。他镜片后面的眼睛顿时亮了起来,"或许就是伯爵夫人失踪的真相!"

小虎们再也按捺不住了。路克的百

宝箱里有直尺和能拉伸的米尺,大家一同开始研究每一幅谜一样的图案。

冒险小虎队·秘密记录

哪一幅画不是视觉幻象?

小虎提示

　　"怪屋"里的视觉幻象图案就在你的小虎工具房里。看看哪一幅不是视觉幻象图案。

无奈离开山庄

一个多小时过去了，三只小虎终于确信找到了那幅图案。娜塔莉跟着碧吉一起测量、观察，受惊的情绪总算稍稍平静了一些。路克用手指关节敲了敲那幅不是视觉幻象的木板，它是用铜螺丝固定在墙上的。

"马上就见分晓了。"路克宣布。他打开百宝箱，在里面翻找着螺丝刀。

"你们是谁？"一个声音突然问道。原来有人趁小虎们没留神，悄悄站到了门口。

"汉莉埃塔姑姑！"娜塔莉朝一个留着银灰色短发的苗条女人跑过去。此人正是碧吉昨天在虚掩的山庄大门前见到的那一位。

那妇人直愣愣地站在那儿,任由娜塔莉旋风似的冲过来抱住自己。她有点笨手笨脚地抚摸着娜塔莉栗褐色的头发。

"不是跟你说过不许让陌生人进来吗?"姑姑用责备的口吻对娜塔莉说。

"白衣女人又来了!"娜塔莉忍不住又痛哭流涕了。

"够了,孩子!那都是你的幻觉!"姑姑显得有些不耐烦。

碧吉向前迈了一步,报上了自己的名字。

"那不是娜塔莉的幻觉,我们也都亲眼看见了。您应该马上报警。这房子有一条秘密通道,有人从那儿溜进来,企图恐吓娜塔莉。"

那女人两眼吃惊地盯着碧吉:"什么?你在说什么呀?"

一个男子出现在女人的身后。他一

脸痛苦的表情,茫然地看着眼前的几个人。

"家里怎么会有陌生人?我需要安静。"

这男人用手抚摸着自己羊皮纸一样的皮肤。他两眼发红,左眼在不停地抽搐,稀疏的头发湿漉漉地贴在脑壳上。

"突然就停电了,"娜塔莉用颤抖的声音报告着,"我正在看电视,电视机一下子就不亮了。屋里黑糊糊的,灯也都不亮了。"

"这周围的区域都停电了。"姑姑解释道。

"突然,她就站在了我的房间里,那白衣女人……"

站在一旁的男人浑身一颤,好似被谁用长长的针刺了一下。

"好啦!别这么没完没了的行不行?"姑姑已经皱紧了眉头。

"这都是真的!"路克向娜塔莉的姑姑和姑夫证实道。

"我看,倒有可能是你们几个在不怀好意地搞恶作剧,戏弄娜塔莉吧!"姑姑突然把矛头对准了小虎们。

三只小虎听了,简直气不打一处来。

"不是这样的!"帕特里克分辩道,"是我们救了娜塔莉!"

"统统给我离开这儿!不然我可要叫警察了。"

很显然,那女人不是开玩笑的。碧吉冲两个男孩打了个手势,示意他们"撤!"或许等这里的局面稍稍平静一点,他们可以再回来。

花园里的草坪上雾气升腾,雨水还在顺着树叶滴滴答答向下淌。去取自行车的路上,路克走几步就回头看看那幢老宅子。

　　"停电的事,我老觉着有点蹊跷。"路克若有所思地说,"我怀疑,只有'七棵榆树'山庄停电了。可能是有人拉下了电闸,或者弄断了保险丝。"

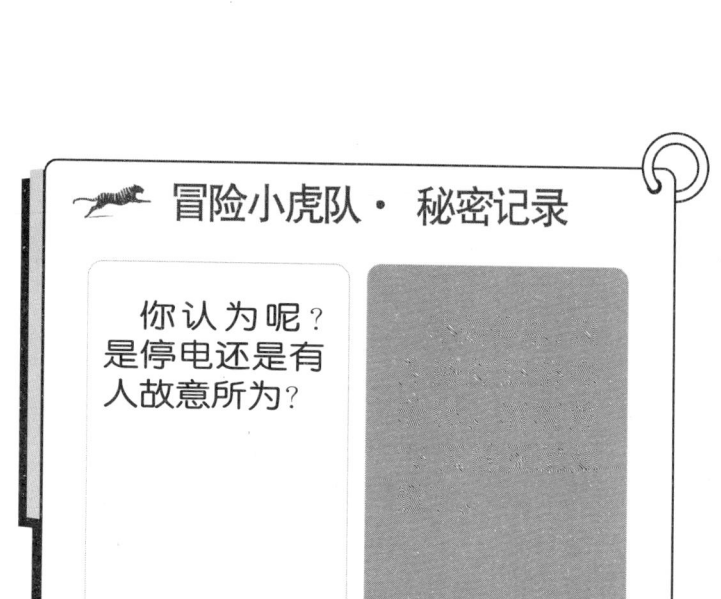

冒险小虎队 · 秘密记录

你认为呢?是停电还是有人故意所为?

令人害怕的预测

小虎们垂头丧气地上了路。娜塔莉的姑姑和姑夫为什么就不相信我们呢？娜塔莉的处境分明很危险。

"为什么有人要害娜塔莉呢？"骑车行在后面的路克问前面的伙伴们，而那两只小虎也同样一脸茫然。还有，那块奇怪的木板后面究竟隐藏着什么，他们也没能看到。"白衣女人"事件一定不会就此了结。

三只小虎分了手，各自回家去换一身干衣服。路克这会儿只觉得鼻子痒痒的，恐怕是着凉了。

到了家，路克先洗了个热水澡，换上一身运动服，然后就启动了电脑。他在互联网上搜索着有关娜塔莉父母乘坐的飞机失事的报道，其中有一篇内容非常详尽，路克仔细地看着、思考着。

吕姆夫妇——这是他们的姓——不久前启程去了南美，此行的目的是拜访汉莉埃塔。出发之前吕姆先生曾跟几个朋友提起过，说要弥补自己犯下的错误，跟他的姐姐和好。也就是说——路克推断——他们此行是和钱有关。报道说，吕姆夫妇的确与姐姐会面了。见面的第二天，他们就动身去参加空中观光热带雨林的活动，乘坐的是一架小型运动型飞机。这一去就再也没能回来。一个小型机场的指挥塔当时还接收到了飞机传回的信号，也听到了飞机坠落的声音。飞机坠入在一个人迹罕至的湖里，至今尚未打捞上来。此次事件无人生还。

路克双手交叉在脑后思索着。吕姆一家非常富有，也颇有名望。据报道说，现在这个家族的财产一半归娜塔莉所有，

另外的一半由她姑姑汉莉埃塔和叔叔约翰内斯平分。

路克倒吸一口凉气，忍不住"腾"地一下从椅子上蹦了起来。假如娜塔莉死了，所有的财产将都归吕姆先生的姐姐和弟弟所有——他们是娜塔莉死后的直接受益人！

路克全身打着寒战：会有人这样恶毒和残忍吗？这阴谋策划得可谓精细至极：娜塔莉一说到白衣女人，她的姑姑就一口咬定那是她的心理幻觉，不加理会；这样，一旦她发生不测，所有人都会顺理成章地认定，她的死是自己的精神恍惚导致的。

"天哪，假如这一切是真的……"

路克飞也似的冲出房间，赶到电话机旁。他给碧吉打电话，可碧吉家里的电话和手机都没有人接；再找帕特里克，也联系不上。路克必须有所行动了，万不得已时只好独自一人行动!

路克一遍又一遍地拨着另两只小虎的手机号码,却始终无法接通。他不想再等待了,骑着车子独自上路,直奔"七棵榆树"山庄。

路克要把娜塔莉带出来, 至于这是不是最好的方法,他没有去想。这是他脑子里冒出来的第一个念头。

在接近"七棵榆树"山庄时,路克发现山庄门外的那块空地上,娜塔莉的姑姑和一个魁梧的男人站在一起,这人路

克还没有见过。他借着灌木丛的掩护往前移过去，发现那两个人似乎在激烈地争执。他们不断打着手势，还不停地摇着头。

冒险小虎队·秘密记录

这个男人是谁？

何处多了一双眼睛

　　没法继续向他们两人靠近了，但能看出，他们的争吵越来越激烈。路克无论如何都要听到他们在说什么。

　　他想起了自己的电子野餐篮。这篮子应该还一直放在房子背面。周围的树木非常茂密，足够掩护他溜过去。路克从一棵树的背后蹿到另一棵树的背后，最后来到了草坪上。

　　三只小虎刚才就是从这儿看到了房顶塔楼上那惊险的一幕的。在阳台壁龛的一个石盆里，路克找到了他的电子野餐篮。他打开盖子，摸索着找到了那些隐藏的按钮，又从侧面的格子里掏出一对连在细线上的迷你耳塞。他把耳塞塞进耳朵，吸一口气，夕阳中鸟儿的鸣叫声顿

时放大了好几倍。看来这设备真的很管用。

路克马上沿着来路返回去。汉莉埃塔姑妈已经不在那儿了,只剩下约翰内斯独自一人,步履沉重地沿着林荫大道向前走,一副垂头丧气的样子。

身后的树丛里突然有响动。路克惊慌地四下张望,发现树叶之间藏着一张肥嘟嘟的脸,脸上戴着一副不大的圆形墨镜,头上系着红色的海盗装束的头巾。

这应该就是碧吉和帕特里克提到过的那个带狗的大汉了。那只弯腿狗愤怒地"咕噜咕噜"地低吼着,尖尖的鼻子从树丛里探了出来。

这下可把路克惊得六神无主,手里的野餐篮"啪"地摔到了地上。惊慌中他只觉得耳塞从耳朵里滑了出来,而人已经跟跟跄跄地退到了铺着砾石的房前空地上。

路克的目光始终没有离开那丛灌木。

此时,一切又归于平静,但房子的大门已经打开了。

"嗨,路克!"一个细细的声音低声叫道。原来是娜塔莉。她站在门里,示意路克跟她进去。路克决定待会儿再去找他的野餐篮,于是便缩着身子往大门跑去。

娜塔莉把他让进屋,伸出食指挡在嘴唇上叫他别出声。

两人一起溜上了三楼,进了娜塔莉的房间。路克成功了,没有人发现他的到来。按计划,路克要带着娜塔莉从秘道逃走。

可惜这回他大错特错了。除了娜塔莉,早有人把他的一举一动都看在了眼里。

冒险小虎队 · 秘密记录

那人是从哪儿看到路克的?

紧急求救

房门一关,娜塔莉便像妹妹见到哥哥一样抱住了路克。

"真高兴有你在这儿!"

"我们不能待在这儿了,我带你走吧。"路克小心翼翼地开口说。

"带我走?去哪儿?"娜塔莉尖着嗓子问。

"小点声儿!"路克竭力哄着她。

"你到底想带我去哪儿?"娜塔莉几乎尖叫了起来。

房门外边传来一声清脆的"啪嗒"声。路克赶忙冲到门口,摁了摁门把手,门已经被锁住了;路克再冲到窗口朝下看看,从这儿爬下去是不可能的,即便大声喊救命也无济于事——谁能听得到

呢?"七棵榆树"山庄四周是偌大的花园,离此最近的邻居也听不到这里的呼喊声。

路克急得浑身一阵冷一阵热。他和娜塔莉不是偶然被锁在房间里的。他对那个姑姑和姑夫的怀疑现在已经被一系列确凿的事实所证实:正是他们想杀死娜塔莉。

可眼下怎么才能逃出去呢?

等等!他是带了手机的呀!路克的手颤抖着从兜里掏出手机,可屏幕上有个光点在不停地闪烁,也就是说,这里的信号很微弱。尽管如此,路克还是拨了碧吉的号码。第二遍铃声响过,碧吉接了电话。

"你得帮帮我!我被困在'七棵榆树'山庄里了!"他压低声音语气急促地说。

"你说什么?你在哪儿?你不能挪动几步吗?我听不清。"

路克在娜塔莉的房间里走来走去,

但信号仍然很微弱。

"在'七棵榆树',快来救我!"路克一字一顿地重复着。

"'七棵榆树'?你怎么会在那儿?"

"快来!"路克恳求道。

通话中断了。路克又试着与帕特里克通话,可是他懊恼地发现,电池快没电了,铃声响到了第七下,电量彻底用完了。

路克狠狠地攥着手机,小声诅咒着。娜塔莉惊恐地打量着他。

路克现在除了等待,他还想做些什么。他让娜塔莉在房间里找来笔和纸,匆匆写上几行字,然后把纸条卷在一块镇纸上扔下楼去,他希望碧吉和帕特里克能够看到它。

碧吉知道哪儿能找到帕特里克。像往常每个星期日下午一样,他在参加足球队的训练。碧吉站在场地边上,冲他打

了个手势,帕特里克便带球朝她跑过来。说明缘由之后,碧吉要他务必马上一起赶到路克身边去。

等到碧吉和帕特里克拿着手电筒赶到"七棵榆树"时,已经是晚上七点半了。

碧吉内心十分紧张:"路克一定出事了。他的手机打不通,每次拨打他的手机,总是被转到他的语音信箱里。"

两只小虎走到大路和林荫道的交叉口,树丛里冷不丁蹿出一个人,一下子挡住了他俩的去路。

正是那个系着海盗装束头巾的大汉。帕特里克和碧吉往后倒退了一步。大汉做了一个表达善意的手势,之后,两手继续努力地比画着,可这些手势两只小虎都看不懂。

大汉又不断变化着嘴唇的形状,好像要跟他们说些什么。

碧吉明白了。

 林中飘过白衣女人

 冒险小虎队· 秘密记录

大汉究竟怎么了？

秘道被封锁了

凭着第六感觉，碧吉一下子不再害怕这个看上去凶巴巴的大汉了。她走上前去，向他伸出了手。大汉握住她的手，小心翼翼地晃动了几下。他的狗在一旁哀嚎起来，碧吉俯身去抚摸它的头，狗慢慢地安静了下来。

"我们在找一个朋友。"碧吉对他说。她发觉大汉的目光落在自己的嘴唇上，他一定是能读懂她在说些什么。

大汉伸手指向身旁的一丛灌木。碧吉看到了路克的电子野餐篮，这是能证明他的确在附近的最新证据。

身后的帕特里克悄悄对碧吉说："我看这家伙不地道，你可要小心点。"而碧吉却相信自己的直觉，她觉得可以信赖他。

"路克在哪儿?"碧吉连说带打手势问道。

大汉递给碧吉一张纸条,那是路克刚才扔下楼的密信。上面写着:

我	楼	莉	可	和	的
能	娜	就	的	房	姑
姑	间	塔	里	莉	是
小	和	犯	姑	罪	被
关	嫌	在	心	夫	娜
疑	他	塔	三	人	们

"路克中了圈套了。"路克的信让碧吉忧虑重重,"他的处境很危险,我们必

须神不知鬼不觉地溜进山庄去。"

"那就走白衣女人走过的那条秘道吧。"帕特里克建议。

碧吉挥手向大汉告别。望着他们远去的背影,大汉的目光中充满了深深的忧虑。

两只小虎顺利地来到了农具间。这时,天色已晚,小屋里光线昏暗,几乎什么也看不清。帕特里克摸索着向前走,试探了几次,终于找到了那扇隐藏的活动木门。门是打开的,保持着路克和帕特里克离开时的样子。

"快来!"帕特里克一头钻进了阴凉的井道,碧吉紧随其后。身后的木门"轰"的一声合上了。

碧吉踩到最后一块金属镫的时候,隐约听到上面传来一声金属的碰撞声,好像有人插上了门闩。"现在被截断退路了!"这个想法在她脑海里一闪而过。她不敢再往下想，只是极力地暗暗地安慰着自己：一定是听错了吧。

然而，碧吉并没有听错。农具间的活动木门已从外面上了锁——想从这个秘道脱身，已是不可能的事。

路克站在娜塔莉的房间的窗前，着急地俯视着花园。他的朋友们依然是踪影皆无。不过，他能看到的只是一小块草坪，房子后面和花园的其余部分发生了什么，他无法知晓。

至少，这会儿已经有电了。路克现在敢打赌，那个讨厌的姑夫和汉莉埃塔姑姑拉下电闸，就是为了让娜塔莉害怕。他们假装出门，但其中一个——路克认为是汉莉埃塔——装扮成白衣女人从秘密通道又溜了回来。说不定，这房子里还有其他的可以方便装神弄鬼的密门呢。

突然间，路克听到一声响动，惊得浑

身一颤。他赶忙离开窗子赶到门边,把耳
朵贴在门上,想搞清楚走廊里发生了什
么事。

什么也听不到。路克赶紧摁了一下
门把手,门竟然打开了。是碧吉和帕特里
克干的吗?路克把头探出去,沿着走廊张
望着。

走廊里空无一人。整个山庄鸦雀无声。

路克现在只有一个念头:快跑!越快
越好!从他和帕特里克发现的秘道逃走
是最好不过的了。

"千万别出声!"路克再三嘱咐娜塔
莉。他牵着她的手,两人一前一后地下了
楼梯。来到二楼的挂毯处,路克摆弄了几
下,随即把挂毯掀到一边,打开了密门。

路克示意娜塔莉爬下去,她不情愿
地照办了。路克刚要跟着她一起下去,突
然感觉到了一阵微风在两颊轻轻掠过。
事后,路克自己也说不清楚当时为什么

作出了那样的反应——是一个来自内心的声音告诉他那么做的：他没有爬下井道，而是放下挂毯，自己躲到了大厅另一侧的高大的柜子后面。

也就是几秒钟的工夫，大厅里传来了脚步声，挂毯后面的密门被来人锁上了。

"小孩子因为好奇而被困在秘道里，"汉莉埃塔低声说，"这是常有的事。在老宅子里玩耍当然是很危险的。我们

就向警方报告说,娜塔莉失踪了。"

"我们真的没做错吗?"那个姑夫问。

"想想那几百万的财富吧,阿图尔。只要一拿到手,我们就回南美去,'奴隶'们还在等着我们呢……告诉你吧,我这辈子最想干的事, 就是怎样让我的弟弟加倍偿还我!"

路克惊得浑身抖个不停。他尽量屏住呼吸,唯恐呼吸声会惊动那两个人。她说的"奴隶"是指谁?还有"加倍偿还"是什么意思?不过,汉莉埃塔准备把娜塔莉饿死在秘道里——这个阴谋他可是听得明明白白,现在需要的是钥匙。钥匙究竟在哪一个人的身上呢?

 冒险小虎队·秘密记录

　1. 钥匙在哪一个人身上？
　2. 请用暗语破译卡来破译第 103 页路克的密信。

哪里还有一线生机

挂毯后面沉闷的敲击声把路克吓得浑身战栗。他听见碧吉和帕特里克在里面叫他——天哪,他的两个朋友也被关在秘道里了。农具间那边的门肯定也给上了锁。这会儿,娜塔莉充满恐惧的声音也能听得分外清楚。那姑夫和姑姑在楼梯上停住脚步,侧耳听着。汉莉埃塔起了疑心:"那丫头怎么在喊那男孩的名字?这说明他不在秘道里呀。"

路克只觉得自己的心脏快要停止跳动:那两个坏蛋又从楼梯走上来了!

"两个都进去了,没错的。"那姑夫十分肯定地说。

"那小子没进去,还在外面呢!"汉莉埃塔气急败坏地说。只听开关"啪"的一

声响，灯都点亮了，其中有一盏灯不偏不倚就亮在路克身后，灯光将他的影子清晰地投在地面上。路克盯着自己的身影，吓得不知所措。

"他在那儿！柜子边上！"那姑夫喊道。

姑姑汉莉埃塔从墙上的架子里抽出一把佩剑，一闪身就站到了路克面前。

"给我过来，钻到秘道里去！"她命令道，一张脸已经气得变了形。

路克举起双手，做出一副投降的样子，慢慢地朝前挪着步。佩剑的尖锋始终

抵在他的胸口。

　　"别想破坏我们的计划！你们几个流鼻涕的小毛孩！你们甭想！"汉莉埃塔喘着粗气说。

　　这时候，他丈夫突然不停地打起喷嚏来。有那么几秒钟的时间，汉莉埃塔稍稍分了心。路克赶紧一猫腰闪到一旁，眨眼间就逃到了楼梯口。他抓住楼梯扶手往上跑，而身后的汉莉埃塔像母狗一般"咕噜咕噜"地怒吼着，撒腿就追上来。到了这个岁数，她这奔跑的速度还真不

算慢。

到了三楼，路克决定往左边跑，这样从栏杆那儿还可以看见楼梯。汉莉埃塔摔了一跤，但是又爬了起来。

路克想起了帕特里克冒着暴雨闯进的那个房间。是哪一个房间呢？对他来说，那儿还有一线生机。

冒险小虎队· 秘密记录

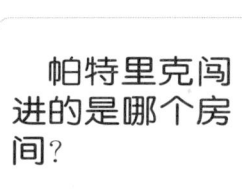帕特里克闯进的是哪个房间？

噩梦终于过去了

路克逃入那个房间里，"砰"的一声刚关上门，汉莉埃塔"噔噔噔"的沉重的脚步声也已经追到了走廊里。路克的手抖得厉害，两次都没能抓住钥匙，第三下才抓牢了开始转动。门锁年头长了，锁眼生了锈，费了好大劲儿路克才把门锁上。

外面的汉莉埃塔开始撞门。

路克硬着头皮从窗口探出身子，感觉像是站在游泳池的十米跳台上。可是除了爬下去，已经没有别的选择。他把腿迈出窗台，抓住了排水管。

门被撞开了。

路克赶忙抓着排水管往下滑，两手立刻被粗糙的排水管磨破了皮。汉莉埃塔在窗口露了露头，又马上走开，再回来

时手里拿着花瓶。凋谢的百合花撒了路克一头;花瓶嘛,路克刚好闪身躲了过去。

花园里传来那个姑夫的声音,他威胁说自己拿着武器。路克转过头,看见他的确拿着什么舞动着,看样子像左轮手枪。

噩梦终于过去了。

路克起初没听见越来越近的警笛声——他的耳朵在受惊吓中好像不听使唤了。过了一阵,他才听见花园里嘈杂起来。路克继续努力往下爬着,一双手向他伸过来。路克看见了一顶警察帽和一身警察制服。

蓝光灯闪烁着,宅子前面停着一辆警车。

一定是有人给警察打了报警电话。事后,碧吉最先想到了一个人:他就是那个头系海盗装饰方巾,手臂上刺有蝎子图案,脖子上挂着沉重铁链的面目可憎的聋哑大汉,看来任何时候都不能以貌取人呀!

"我的朋友们……在秘道里……求你们快救他们出来!"路克此时虚弱极了。他双膝一软,警察赶忙把他平放在草坪上。

一个星期以后,三只小虎再次来到"七棵榆树"山庄。这次拜访让他们兴奋不已。

一位雍容华贵的夫人站在门前欢迎他们的到来,她看上去疲惫而憔悴。

娜塔莉凑到她身边,紧紧搂着她,开玩笑地威胁道:"我抓住你,再也不放手了,妈妈!"

在宽敞的花园大厅里,一个男子朝小虎们走来,称自己是娜塔莉的父亲。厅里一张软沙发椅上,坐着他的弟弟约翰内斯。

"实在太感激你们了!"娜塔莉的爸

爸吕姆先生一遍又一遍地说,"你们不只是救了娜塔莉,还救了我们。"

汉莉埃塔和阿图尔被捕之后,人们才知道娜塔莉的父母并没有死。他们被汉莉埃塔囚禁在南美洲家中的地下室里,由此案的另一个帮凶负责送去最低限量的食物让他们维持生命。

原来,汉莉埃塔对弟弟的仇恨使她炮制出了这个恶毒的计划:她利用她的朋友驾驶的私人飞机在热带雨林上空失事的报道,声称她的弟弟和弟媳两人都在飞机上。飞机起飞的机场很小,所以没有人能拿出相反的证据。

汉莉埃塔将吕姆夫妇锁在地下室里,然后以照料侄女的名义和丈夫一起来到了欧洲。事实上,此行她有更恶毒的计划:她打算制造一起事故加害娜塔莉,然后就可以侵吞所有的财产。那天,路克在森林里捕捉到的那句话——"让她去死!"是汉莉埃塔对陪在身边的丈夫说的。那时她装扮成白衣女人,正想让娜塔莉受惊坠马。

尽管汉莉埃塔的另一个弟弟约翰内斯从南美赶来想阻止姐姐的罪恶计划,但姐姐根本不能回心转意。

没想到半路杀出三只小虎,打乱了汉莉埃塔的计划。路克、碧吉和帕特里克用非凡的勇气挽救了三条生命。

"听娜塔莉说,你也是个骑马爱好者呢。"吕姆太太对碧吉说。

碧吉点了点头。"我们想送你一匹马。马可以养在这儿,我们替你喂养照料。"吕姆太太真诚地说。

碧吉惊喜得说不出话来。

两个男孩也得到了丰厚的奖励:帕特里克可以去看世界杯足球赛;路克则收到了最新的一款迷你电脑。最后,三只小虎还被允许到"怪屋"里揭下那块木

板,将里面的秘密看个究竟。

结果非常出乎意料:木板背面粘着已故的伯爵留下的一封信,信中说明了伯爵夫人失踪的真正原因。原来,伯爵夫人动身去了国外,去探索非洲大陆。而130年前,这样的举动对一个女人来讲是不可思议的。由于没能阻止夫人的行动,又不想招来别人的冷嘲热讽,伯爵从未向任何人提起过此事。

"我以后也要像伯爵夫人那么勇敢!"娜塔莉宣布。

碧吉竖起大拇指,朝她眨了眨眼睛。最后三只小虎在空中击掌,齐声欢呼:

小虎,小虎,

绝不马虎!

小虎,小虎,

生龙活虎!

不过,别松懈!现在,又有一桩新案件在等待着他们了……

超级成长版

冒险小虎队（短篇小说）

恐怖派对
大盗贼

MAOXIAN
XIAOHUDUI

一封近似血书的请柬(短篇小说1)

　　红色的字迹,粗重的笔画,印在黑色的卡纸上——小虎们收到了这么一封请柬。它看上去活像一封血书。

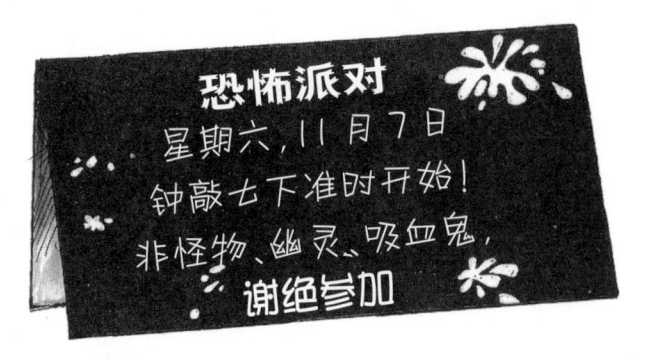

　　派对是在基尔斯汀·哈普纳家举行,碧吉、路克和帕特里克无论如何都要前去参加的。
　　其实,三只小虎不怎么喜欢基尔斯汀,她可是个傲慢人物。基尔斯汀的父母有一所带游泳池和花园的豪宅,基尔斯汀想要多少零花钱都没问题。而且,她还经常炫耀自己的名牌衣服和名牌鞋子。

七点钟马上就要到了。一头巨猿、一个长着鸟鼻子的怪博士、还有一具遍体闪着荧光的沼泽僵尸急匆匆地赶往基尔斯汀的别墅。他们都缩着脑袋,现在雨下得正大呢。

那巨猿是帕特里克装扮的,扮成长着鸟鼻子博士的是路克,沼泽僵尸当然

就是碧吉喽。

　　"办恐怖派对可真是个绝妙的主意!"碧吉说,"要不我才不会去基尔斯汀家呢。我倒要看看她能办成个什么样儿的派对。"

　　派对现场在别墅的地下室里,基尔

斯汀一共请到了五十个孩子。大家戏耍打闹着，巨大的喇叭里放出鬼哭狼嚎的音乐。掏空了心儿的南瓜被刻成各式各样的鬼脸，摆得到处都是，天花板上还挂着吹大了的骷髅模型气球。

一个小时过去了，路克低声咕哝道：

"真没劲,这叫什么恐怖派对呀!"

说话间,局面突然就发生了变化。

疯狂的音乐戛然而止,闪烁舞动的光柱也骤然熄灭。

出了什么事?是停电,还是保险丝烧断了?

帕特里克惊得浑身一颤:"你们听到了吗?"

不知在房子的哪个地方传来了玻璃打碎的声音,紧接着就是"通通通"的脚步声。

扮成巫婆的基尔斯汀突然大叫起来:"抢劫犯!是破门而入的抢劫犯!家里的报警装置没启动,我爸妈都不在家!"

来参加派对的小客人们一下子都没了动静。脚步声越来越响了,坏人正从楼梯上走到地下室来。

"快,把门锁上!"碧吉小声对路克说。

路克环顾一下这宽敞的地下室,声

音一下子变得有些嘶哑："见鬼！这儿有好几扇门呢！坏人就要从其中一扇门外进来了。"

帕特里克恼火地说："废话！不从门外进来，难道还能穿墙而入？"

碧吉觉得脖子后面的汗毛都竖了起来。"问题是会从哪一扇门进来呢？"碧吉问，"也许还来得及阻挡一下。"

冒险小虎队 · **秘密记录**

坏人会从哪扇门进来？(请用定位搜索卡对第124～125页插图进行搜索。)

遭到蒙面人袭击

然而为时已晚。小虎们来不及做什么，门已被推开了，"砰"的一声碰在墙上。

化了装的男女学生们发出一阵低低的惊呼声，然后集体朝后退去。

三个蒙面人闯了进来。他们用滑雪帽蒙住了头，只露出两只眼睛。长长的深色外衣里面鼓鼓的，看样子是武器。

帕特里克、碧吉和路克惊恐地挤到一块儿，大气儿都不敢出。

这些家伙到地下室来干什么？这儿可没什么值钱的玩意儿好偷呀！

这时，他们中的一个指指地板命令道："全给我躺下，面朝下趴着！"

所有人都乖乖地躺了下去，有些人的化装道具已经开始撕裂了。

　　"不!仰面躺下来,两手放到脑后去!"
领头的一个蒙面人命令道。

　　大家一齐打个滚儿翻了过来。又有
衣缝开裂的声音,这些奇装异服很显然
不能穿着做这样的运动。

　　而另一个蒙面人又要他们换一个姿

势:"站起来,两手高高举起来!"

在场的男生女生们都照办了。

"不!躺下,面朝下!"又一个新的命令传过来了。

刚刚躺好没多久,大伙儿又被命令从地上跳起来。接下来,三个坏蛋要求他们单腿跳着在屋子里往返,边跳还要边学猪叫。

路克的额头上皱起一道深深的皱纹。"这耍的是什么花招呀?这三个家伙脑子出毛病了吧?"他小声嘀咕着。

碧吉突然眼前一亮:"他们三个不是刚刚闯进来的!"

"你是怎么知道的?"帕特里克问。

碧吉悄悄告诉两个男孩。

冒险小虎队· 秘密记录

碧吉是怎么得出这个结论的呢?

居心何在

是基尔斯汀策划的恶作剧吗?路克心里想。莫非是她想开个玩笑,让大家好好感受一下恐怖的气氛?要真是这样,这玩笑开得也太大了。

但路克不敢轻举妄动,要真的是带着武器的抢劫犯怎么办?

"都给我听好了,现在是最重要的命令!"三个蒙面人中领头的那个用低沉的、伪装出来的声音说,"所有人把食指伸到鼻孔里,把大拇指塞进嘴里去!"

大家都顺从地执行了这个命令。

"直到允许你们把手指拿出来为止,谁也不许乱动!"那家伙说道。然后,他从兜里取出一架小型摄像机,把镜头对准了孩子们。

"谁也不要反抗,我们可一直都盯着你们呢!"他威胁道。

说完,三个蒙面人就离开了。

这下,参加派对的人都一动不动地站在原地,手指插在嘴巴和鼻孔里。没有一个人敢挪动半步。

"摄像机可没有连接线呀!"碧吉小声说。因为拇指放在嘴里,听上去就像是说:"蛇象鸡狗喂狗眼见象牙!"

帕特里克咽下一大口口水,吃力地挤出一句话:"是无线摄像机,图像可以无线传输。"

路克点头表示同意。

这群蒙面人现在打算干什么呢?在楼上大扫荡吗?基尔斯汀一家能偷的东西太多了,这时机也再好不过了:报警器关着,基尔斯汀的父母也不在家。

然而楼上静悄悄的。时间一分一秒地过去了。已经开始有人身子摇晃,这么

长时间保持静止站立姿势,他们可坚持
不了啦。

"不许动!我们都看着呢!"一个威严
的声音从走廊里传来。

劫匪怎么还在这儿?三只小虎感到纳
闷。

路克猛然间明白了声音是从哪儿来的,也明白了那三个家伙其实并没有在监视他们。

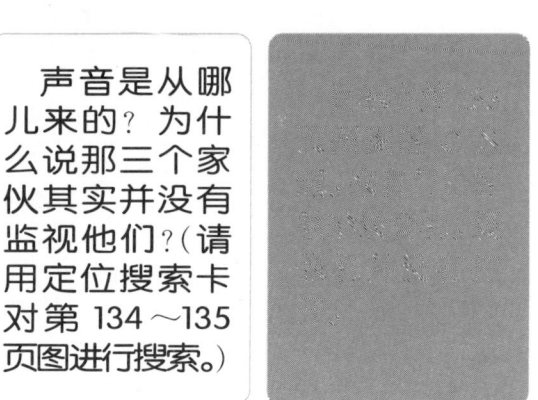

冒险小虎队 · 秘密记录

声音是从哪儿来的?为什么说那三个家伙其实并没有监视他们?(请用定位搜索卡对第134～135页图进行搜索。)

蒙面人归来

见到路克把手指从鼻子和嘴中抽出来,基尔斯汀吓得尖叫起来。只听路克用平静的语气宣布道:"警报解除,伙计们!有人跟我们开了个拙劣的玩笑。"

起先,大家谁也不敢相信,都还继续保持着那可笑的姿势。于是路克便指出了那架根本没有打开的摄像机和藏在走廊里的一个小录音机。

"可是……那声音为什么现在才听见呀?"有几个孩子问道。

"老把戏了,"路克解释道,"先把空白磁带向前快进一阵,然后录下声音,最后把磁带倒回去,按下播放键。这样,几分钟之内都听不到什么,但用不了多久就突然有了声音。"

137

　　所有人这才长出一口气，一屁股坐在了地板上。

　　基尔斯汀双唇煞白，不住地颤抖："是谁……这究竟会是谁干的？"她结结巴巴地说。

　　"是你让这三个人来吓唬我们的吧？"路克大声说。

基尔斯汀赶忙举起手发誓道:"不!绝对不是我!"

这时,楼上的一扇门被"哐"的一声关上了,所有人立刻吓得缩成一团。

蒙面人难道真的还没走,还是他们又回来了?他们难道真是危险人物,比路克想象的要严重得多?

这回小虎们可没错过机会。他们飞快地锁住了所有的门,并让其他的人退到屋子的后面去。

不一会儿,楼梯上传来了脚步声。接着,有人敲了敲门。

屋子里鸦雀无声。那人在门外问道:"喂!你们怎么啦?都叫绿色恐怖怪物给吃了?"

基尔斯汀松了口气:"是我哥哥拉尔夫。"她边说边打开了门,"他刚才去看电影了,真高兴他现在回来了。"

比基尔斯汀大七岁的拉尔夫两手插

在湿透的皮夹克兜里,挨着个儿打量着这些惊魂未定的派对参加者。

"看你们的样子,怎么好像这儿闹鬼了似的?"他说。

"我们遭到袭击了。有人闯进来,逼我们把指头伸到鼻孔里。"基尔斯汀结结巴巴地告诉他。

拉尔夫幸灾乐祸地笑了起来:"是

吗?是谁袭击了你们呀?"

"他们蒙着脸,"基尔斯汀解释道,"我们什么也没有看清。"

拉尔夫大笑起来:"快别逗了!你们是说,三个人闯进来,就为了看你们把指头伸进鼻孔里?"碧吉把摄像机和录音机指给他看:"这是他们留下的。"

拉尔夫耸耸肩:"这不就是我父亲的摄像机和以前用过的口述录音机吗?"

路克此时满脸通红,粗声大气地说:"够了!我们马上就让某个人见识见识,什么叫做恶作剧!我知道这糟糕的恶作剧是谁干的了,可惜他的同伙已经跑掉了,但至少我们逮到了领头的。嘿,看招儿吧你!"

路克实在是气极了,顺手抓起一碗打成泡沫的绿色糖水,浇了那人一头一脸。

在场的其他人终于又可以尽情地玩了。

冒险小虎队 MAOXIAN XIAOHUDUI

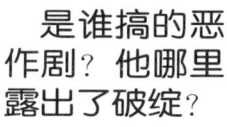冒险小虎队· 秘密记录

是谁搞的恶
作剧？他哪里
露出了破绽？

黄昏狮吼（短篇小说2）

不远处传来了猛兽的咆哮声。毫无疑问，是狮子！"你们听见了吗?"碧吉胆战心惊地问身边的两个男孩。

帕特里克像保护小孩子一般伸出胳膊搂住碧吉的肩膀："别怕，我的小碧吉，

有我在呢!"

路克也一脸同情地笑道:"是啊,在动物园里你还用得着害怕狮子?它们又不会从笼子里跑出来。"

"你们两个蠢小子,"碧吉生气了,"你们没长耳朵?狮子笼子是在动物园的那一头,可狮子的吼声已经近在咫尺了!"

这下,两个男孩也笑不出来了。

动物园关门已经两个小时了,三只小虎却仍然可以留在这儿。路克的叔叔是这家动物园的兽医,今天,他邀请了三只小虎陪他一起作巡察。这会儿他正在猴馆里,今晚大猩猩的脾气可不怎么好。而三只小虎正等在猴馆的外面。

狮吼声越来越近了。"我们……我们现在可怎么办呀?"帕特里克惊恐极了。

"快,躲到猴馆里去!"碧吉指挥着。

三个人一拥而入,恐怕再晚一步就迟了。透过门上狭长的玻璃窗,已经能看

到外面的狮子。它垂着脑袋，转过拐角，时不时地张开大嘴咆哮着。来到了陌生的环境，它看上去挺紧张，而且也饿了：明天早晨才是它开饭的时间呢。

"它怎么跑出来了呢?"帕特里克问。

"没准儿今天是它生日,过生日的动物就可以出来溜达。"碧吉酸溜溜地说道。

"你们进来干吗?乔尼听见你们的动静不高兴了，扭头就吐了我一脸唾沫!"路克的叔叔一边气哼哼地抱怨着，一边掏出手帕擦去脸上令人作呕的东西。

"狮子跑出来了!"路克指着门外说。

叔叔朝门外瞥了一眼,狮子已经不见了,可是又出现了别的动物。

"老虎也出来了!"他也慌了神。

不仅如此,另外一个方向又走过来一头豹子,在它身后还跟着一头豹子。

"是谁把它们都放出来了呢?"碧吉很纳闷。

"眼下这不重要,重要的是怎么才能把它们弄回笼子里去。"兽医叔叔急促地说道,"大型猫科动物无论如何都不能放出笼子的,不然的话,它们之间很有可能会厮打起来!"

这时,猴馆的门被抓得咔嚓咔嚓直响,玻璃窗里露出一只怒吼的狮子头。

"必须设法发出警报了!"叔叔着急地说,"可是警报怎么发呢?"

冒险小虎队 · 秘密记录

他们该怎样发出警报?

密　信

　　开着小吉普车的动物园园长在前面引路，救援人员火速赶到了现场。跟在园长后面的是消防队员。

这下,狮子受了惊,夺路而逃。

　　那天晚上,动物园展开了一场大规模的追捕行动,追捕逃散的猛兽,当然,少不了三只小虎从旁协助。三个人站在

动物园中央的一个小瞭望塔上,路克的百宝箱里有在黑暗环境中依然能看清目

标的望远镜。这个夜视装置帮助他们发现了猛兽们的行踪,三只小虎把情况及时报告给了兽医叔叔。

路克的叔叔用麻醉枪迷倒了它们,再由驯养员把它们带回了各自的笼子。

所有的人被召集到园长办公室的时候,已经是深夜一点钟了。猛兽们都已一一回笼,没出什么大事故。

"它们是怎么从笼子里逃出来的?"蓄着海豹胡的胖园长问道。

狮子驯养员斯文报告说:"动物们是被故意放出来的。笼子的门锁被人撬开了,然后又朝里面扔了烟雾弹,动物们当然都被赶出笼子了。"

路克的叔叔攥紧拳头,狠狠地砸在桌子上:"是哪个疯子干出这种事来的?"

大家只能耸耸肩算作回答。但为了安全起见,动物园里安排了人员值勤,那撬锁的家伙有可能还会有所行动。

动物园里又恢复了平静,三只小虎走在一只只笼子和围圈之间,脚下的砾石被他们踩得吱吱作响。

像每天晚上一样,动物园里的路面都被打扫得非常干净。然而,在老虎笼子旁边却有一张纸条,在路灯的照射下,它还是挺惹眼的。

碧吉赶紧把它拾起来,边看边若有所思地皱起了额头。

两个男孩也凑过来,伸长脖子越过碧吉的肩头瞅向那张纸条:上面是一则婴儿纸尿裤的广告,后半部分被染成了褐色,字迹几乎无法辨认,一定是谁把咖啡洒在上面了。

"纸条是路面打扫完毕后留下来的,"路克推测着,"也就是说,留下纸条的人是动物园关门以后到这儿来的。"

帕特里克点点头,表示认同。

碧吉也有了新发现:"这上面的文字

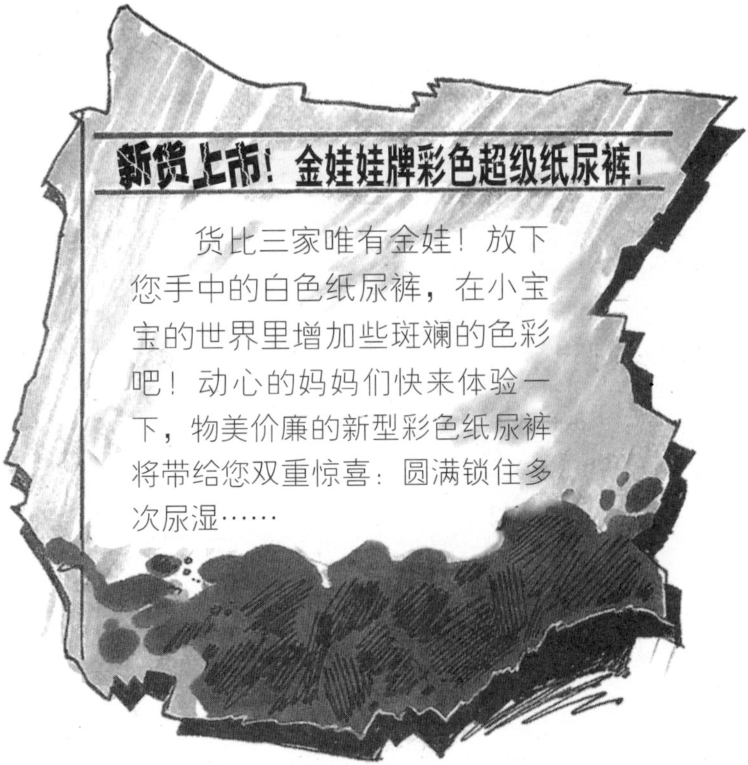

新货上市！金娃娃牌彩色超级纸尿裤！

货比三家唯有金娃！放下您手中的白色纸尿裤，在小宝宝的世界里增加些斑斓的色彩吧！动心的妈妈们快来体验一下，物美价廉的新型彩色纸尿裤将带给您双重惊喜：圆满锁住多次尿湿……

表面看并没有什么意义，重要的是里面隐藏着绝密信息。"

 冒险小虎队·秘密记录

是什么绝密信息呢？它隐藏在哪里？

照片中的线索

坐出租车回家的路上，三只小虎还在议论着动物园里发生的一切。

碧吉坚信，那些大型哺乳动物之所以被放出来，是因为有人想不受干扰地在笼中寻找他的"货"。

路克觉得碧吉说的有道理："不过，我们还不知道他究竟找到了没有。或许，那赃物根本就没有藏在哺乳动物馆里。"

帕特里克点头表示同意："要是那家伙还没取走赃物，明天他一定还会继续来找。"

"那我们明天也过来，留心观察每个角落，没准儿能发现那个家伙的蛛丝马迹。"

第二天下午，三只小虎在动物园里

不停地兜来兜去，每个人负责观察一部分区域。为了掩人耳目，碧吉和路克带了照相机，帕特里克则装成来画画的样子。

来这儿之前，路克和帕特里克在秘

密据点里浏览了最近几天的报纸,其中一条报道引起了他们的关注:某博物馆近期失窃,一幅价值连城的油画被人盗走。窃贼把画从画框中切割了下来,此次失窃造成的损失达三百万马克。

警方推测,入馆行窃是由某个收藏家雇佣盗贼所为。一旦得手,画肯定就会被藏匿在地球上某个角落的保险箱里。

整个下午动物园里都没什么动静。由于天气又阴又冷,动物园里游人稀少,这倒是方便了碧吉和路克不受干扰地拍照片。

当天晚上,路克就在小虎秘密据点的小小暗室里冲洗了照片。

拿到照片的时候,路克简直不敢相信自己的眼睛,同时又为自己的疏忽懊恼不已:怎么就没早点发现呢?这坏蛋已经扮成驯养员溜进了动物园,所以他可以在园中无所顾忌地大找特找了。

 冒险小虎队 · 秘密记录

哪个驯养员是坏人装扮的呢？

冰水浴

路克立刻拨了叔叔的电话。这个假冒驯养员太危险了,他可什么事都干得出来的。为了拿到赃物,甚至连给动物们下毒都有可能。

但是叔叔的兽医诊所和家里都没人

接电话,动物园办公室也是如此。

路克跟碧吉和帕特里克通报了情况。他们说好在动物园围墙外面碰头。现在,要进入动物园只有一个办法:翻墙而入。他们从一个馆跑到另一个馆,可就是看不到园长和兽医叔叔的影子。

最后他们来到一大片堆满人工礁石的水池边,这里是海豹、海狮和海象们的天地。照片中的假驯养员曾经出现在这里。

但现在这儿一个人也没有。难道他已经找到赃物跑掉了？

"不！他根本没找到！"碧吉指着一块岩石激动地说，"我敢打赌，那幅画就在那儿！"

帕特里克环顾四周，偌大一个海豹馆里一个人影儿也没有。海豹们正在它们宽敞的洞穴里呼呼大睡。

"我去把它拿出来，免得落到坏人手里！"帕特里克提议。说着，他翻身越过栏杆，跳到水池里突出来的岩石上，摇摇晃晃地保持着平衡。

"把手举起来，小子！"一个嘶哑的声音喊道。帕特里克吓得站在那儿一动不动。

从一块突出的岩石后面，钻出一个人，正是那个假驯养员。他手里拿着枪，脸上有两撇粘上去的胡子和一副快要遮住小半个脸的深色墨镜。

碧吉和路克想赶紧跑到一边去报
警。

"待着别动！"那人咬牙切齿地说，
"否则你们的同伴就完了！"

这下两个人傻了眼。

"快说画在哪儿，我非得拿到手不可！
那讨厌的窃贼藏得太隐蔽了，我怎么也

找不着。我可是点了一大把票子给他的！"
他叽里咕噜地不住抱怨着。

帕特里克的嘴一张一合，但就是不
发出半点声音。

"快说在哪儿！你们不是发现了吗？
快说，不然我可就不客气了！"那人不耐
烦地说。

帕特里克仍旧站在那儿大口喘气。
他嘴里冒出几个字，却不知所云。

"什么乱七八糟的？你不会说话吗？"
那人朝着帕特里克吼道。

碧吉突然明白了：帕特里克不过是
在耍花样，或许他已经有主意了。此时，
那人已经怒不可遏，大声嚷道："你再不
赶紧说，你的两个同伴就……"

话还没说完，只见他一个趔趄，一头
扎进了冰冷的池水里，手枪也摔掉了。

他身后的岩石上，一头大海豹正纵
声大叫着。看来，它是被那人的声音吵醒

了,出来看看是谁在这儿聒噪个不停。

　　那人在水里扑腾着,挣扎着把头伸出水面。海豹立刻跳进水里朝他游去,赶得他在水池里四处乱窜。

　　帕特里克把那幅珍贵的画从海豹馆取了出来。在去动物园办公室的路上,三只小虎碰到了园长,园长马上报告了警

察局。最后，油画重新回到了博物馆。坏人们呢，当然也都落网啦。

冒险小虎队 · 秘密记录

画到底藏在海豹馆的什么地方了呢？（请用定位搜索卡对160～161页插图进行搜索。）

超级成长版

冒险小虎队

请你来破案

MAOXIAN
XIAOHUDUI

案件 1 动物贩运者

碧吉、路克和帕特里克得到消息，说是一个名叫赫伯特·卡勒的人正计划偷运濒临灭绝的鹦鹉出境。于是三只小虎

设法溜进了赫伯特·卡勒的私人喷气式飞机，打开了货舱的门。

这时，帕特里克紧张地报告："不好！卡勒来了！"

碧吉正好站在一大堆箱子前面。要是里面真藏了动物，她可得抓紧时间找出来了。

请你来破案

QING NI LAI POAN

被偷运的动物可能放在哪个箱子里呢？

案件 2 入室行窃的骗子

有一次,路克到奶奶家去。奶奶边开门边小声对路克耳语道:"家里来了一个陌生人,他自称是我的老朋友罗莎的熟人,但我看他不像是好人。报纸上说,最

近市内出现了一个招摇撞骗的小偷,专门混进一些上了年纪的老太太家里,偷走了不少东西。"

于是,路克走进客厅,准备会会这个不速之客。而让他恼火的是,就在奶奶给自己开门的当儿,那贼已经偷了三件东西。

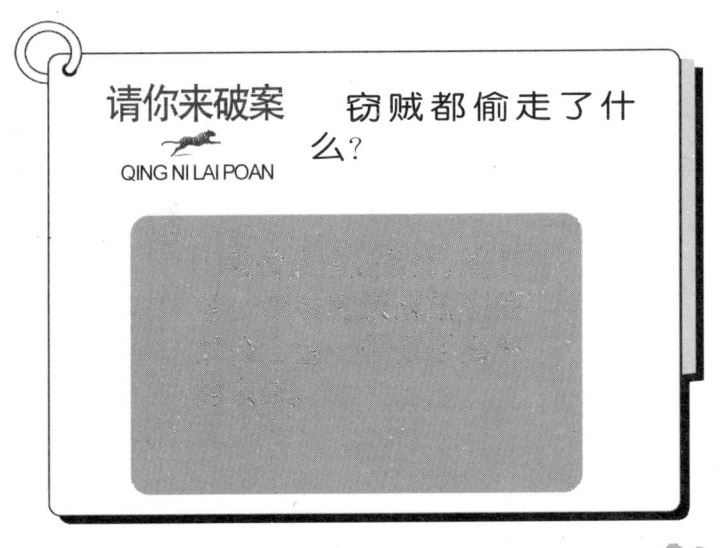

请你来破案
QING NI LAI POAN

窃贼都偷走了什么?

案件 3 偷猎者

有一回,三只小虎正忙着往森林里的一个饲料房里运送栗子。突然,远处传来一声枪响。

　　碧吉气坏了,眼下可正是禁猎期,一定又是某个坏家伙在偷猎了。

　　于是,三只小虎寻声来到了一个小木屋前。敲过门后,一个男子开了门。

　　听说小虎们认定他是偷猎者,那人怒不可遏:"我刚才出去只是砍了一棵树!"他辩解道。

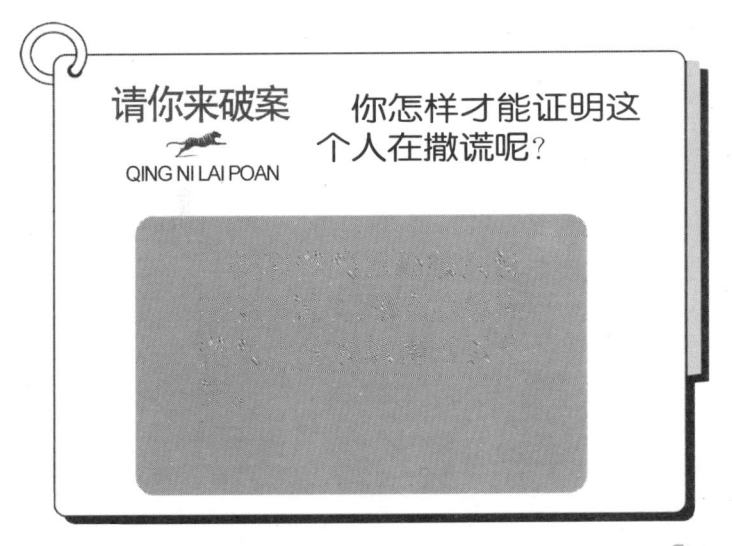

请你来破案
QING NI LAI POAN

你怎样才能证明这个人在撒谎呢?

案件 **4** 可疑的车子

三只小虎正走在乡间小路上。这时，一辆从后面开过来的越野车在他们身边飞驰而过，碾起的泥浆从头到脚溅了他们一身。

愤怒的小虎们望着远去的车辆气得直吼叫。

走过一段路之后，三只小虎在林间小路上又看到了这辆车。此时，司机已经不见了踪影。

路克突然愣住了："这车子不对头，伙计们。我们得马上报警！说不定这是银行抢劫犯开着车子逃离现场！"

后来，路克的猜测完全得到了证实，这确实是一辆有问题的车。

请你来破案

QING NI LAI POAN

这辆车哪里不对头呢？

案件 **5** 恐吓信

有一天, 邻居格林斯基女士找到了碧吉的父母, 她手里拿着一封恐吓信, 不住地哭诉着:"这信封是从我家门下面的缝隙塞进来的!"她一脸惊恐地说,"我从门上的猫眼看见, 塞信的正是你们的女

我们
要毁掉你

儿!您二位可得好好管教管教她了!"

碧吉这下可真有些纳闷了:我什么时候写过恐吓信呀?前几天,格林斯基女士在商店里顺手牵羊,被三只小虎逮个正着。她是不是在故意败坏小虎队的名声呢?

这么一想,碧吉马上明白了,而且她已经看出了这封恐吓信的疑点,脸上露出了胜券在握的表情。

请你来破案　　疑点在哪里?

QING NI LAI POAN

案件 **6** 密探

朗道博士一脸绝望的神情:"我觉得有人在监视我,可我又拿不出证据。我敢肯定,有人想窃取我的最新发明,现在正

在等待一个合适的机会下手!"他惴惴不安地告诉小虎们说。

"这密探会藏在哪儿呢?"路克问。

博士茫然地耸了耸肩。

帕特里克朝窗外的大街上看了一眼,外面的大雪已经下了好几个小时了。

"有了!我知道他可能躲在哪儿了。"帕特里克说。

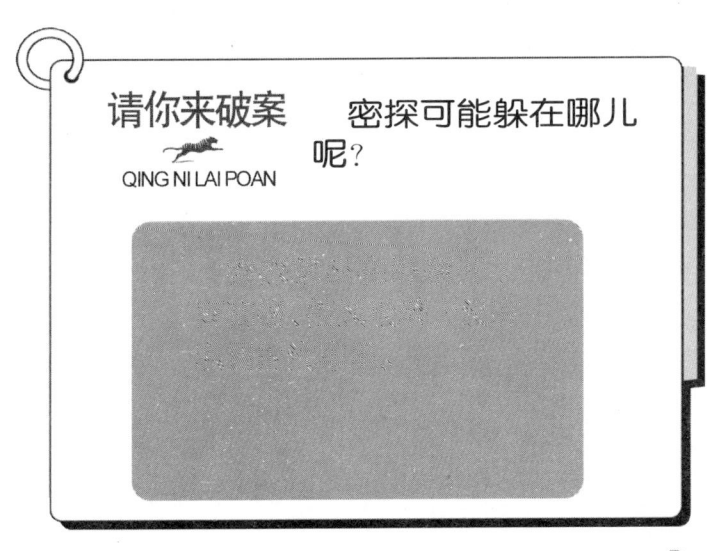

请你来破案　　密探可能躲在哪儿呢?

QING NI LAI POAN

案件 7 鬼屋

　　三只小虎在滑雪的时候迷路了。他们碰上了暴风雪，渐渐偏离了滑雪道。三个人在周围转来转去，好半天才在风雪

中看到一座农舍。

　　碧吉马上认出来了："这就是那个鬼屋了。里面根本没有人住，因为传说这屋里闹鬼。"

　　路克却不以为然地摇了摇头："这屋里明明刚刚有人住过。"

请你来破案

QING NI LAI POAN

路克是怎么看出破绽来的？

181

案件 **8**　中心广场上的危机

　　一个偶然的机会,在市中心广场,小虎们窃听到了一段无线电通话:"一号呼叫二号,行动三分钟后开始!此前注意保

持伪装!"

三只小虎马上明白了:中心广场上正隐藏着一个化了装的嫌犯!

"或许他会忙中出错,露出马脚。"碧吉说。

于是三个人仔细地环顾四周,搜寻着潜在的犯罪嫌疑人。

请你来破案

QING NI LAI POAN

哪个人是伪装起来的犯罪嫌疑人呢?

冒险小虎队 MAOXIAN XIAOHUDUI

案件 9 假冒侦探

博物馆被盗了,十尊价值连城的小型塑像被窃贼偷走。除了警方人员,还有一位经常为这个博物馆工作的侦探也来

184

到了现场。

三只小虎也到现场来观摩这些专业人士的工作。

忽然，碧吉对另外两只小虎说："喂，你们发现了没有？我怀疑那个手拿放大镜的侦探是假的。说不定他也是个窃贼，趁乱溜进来伺机行窃！"

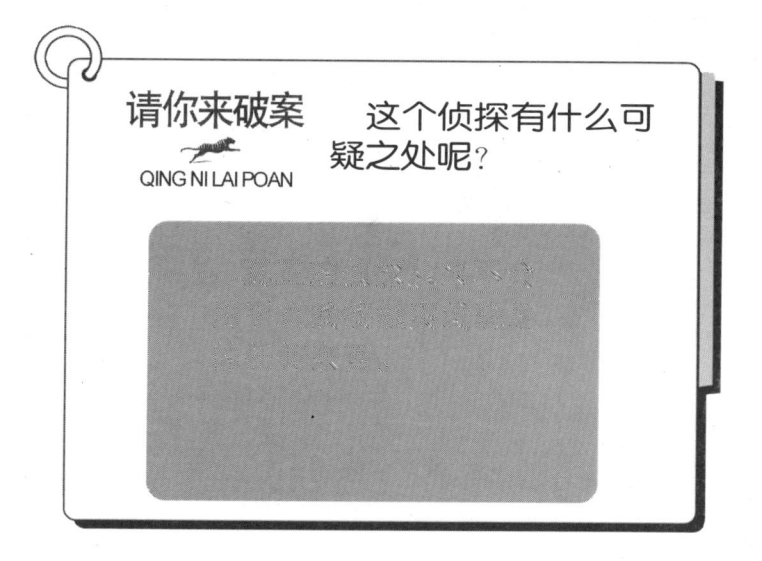

请你来破案
QING NI LAI POAN

这个侦探有什么可疑之处呢？

案件 **10** 何事惊慌

　　天色已经很晚了。路克还待在他们位于"金虎"中国餐馆地下室的秘密据点里。他正用显微镜观察几丝纤维，这是一

个偷了钱箱的窃贼留下的。

突然间,路克愣住了。紧接着,他开始心跳加快,全身直冒冷汗。

请你来破案

QING NI LAI POAN

路克为什么这么惊慌呢?

案件 **11** 雪怪惊魂

　　这一阵子，每到黄昏的时候，就有一只白色怪物出现在周围的区域。据说它生着乱蓬蓬的毛，眼睛大得像铜铃，叫声能传千米远，专门吓唬小孩子，得逞之后就逃之夭夭。

一个偶然的机会,小虎们观察到了白色怪物的一举一动,并沿着它的足迹尾随而去。

可惜,三只小虎最后还是没有盯住它。

现在,三只小虎看到的是一座爱斯基摩人的冰屋。

冰屋里坐着两个和碧吉同一所学校的男生,他们都信誓旦旦地说自己跟白色怪物毫无关系,还声称自己一直在冰屋里打牌,连洗手间都没去过,都有两个小时了。

然而,这个谎言一下子就被小虎们揭穿了。

请你来破案 有什么证据证明他
们撒谎吗？

QING NI LAI POAN

超级成长版

冒险小虎队

超级破案绝招

MAOXIAN
XIAOHUDUI

一面牙科医生用的镜子在破案时能派上大用场吗?

能。也许你能幸运地从牙医那里获得这样一面镜子。这种带细柄的圆形小镜子在卫生用品市场也能买到。

你可以用这面镜子从狭小的门缝观察走廊上的动静,而不必担心自己被人发现。

当然你也可以用它来检查汽车、床和衣柜的底下有没有藏着什么东西。

如何布置一个小虎队的秘密据点

小虎队的秘密据点设在一家名叫"金虎"的中国餐馆的地下室里。门口一尊硕大的金虎塑像后面就是秘密据点的入口,它以前是餐馆的进货通道。秘密据点只有 20 平方米,但是碧吉、路克和帕特里克破案用到的东西这里应有尽有。

要是你找不到这么一个去处,那就

把你的房间变成小虎队的碰头地点吧!

迷你警报器

如果你想随时听到门边的动静,你可以把一条系着铃铛的绳子挂在门上。这样,哪怕门只开了一条很小的缝,铃铛都会响起来。你也可以将两只空的铁皮罐头筒拴在绳子上,门一动,它们就会丁零当啷地响。

削尖的铅笔

把所有的铅笔都削得尖尖的。等你出门回来后,如果发现其中有一支铅笔的笔尖变得钝了一些,那就说明有人用过它了。

后视镜

背对窗户或者门坐着,在你面前的墙上挂一面镜子。要是有人从窗外或者

门外朝里面张望,你马上就能察觉。有了它,不用转身就可以洞察一切。

外视镜

在室内窗前放置一面镜子,它可以让你看清窗外和窗户底下是否有人,即使他躲藏得很隐蔽,也会暴露无遗。

珠子

在你房间里的资料、书籍上放一些极小的珠子。要是你回来发现珠子不见了,那就说明有人动过你的资料和书籍了。

伪装

你得把自己的破案工具好好藏起来才行。为此,你应该去找一个大纸箱,在上面醒目地写上类似于"玩具铁路模型"等几个大字。

有谁能想到里面装的实际上是重要

的秘密工具呢!

索引卡片盒

路克的东西总是丢得乱七八糟的。要是碰到需要紧急查找资料的时候,可就麻烦了!

要想把一切放得井井有条,那就动手做几个卡片盒吧!比如专门存放指纹的,或者是存放最新案件资料的盒子。还可以做一个存放观察记录用的文件夹、一只存放新闻报道和草图的盒子,再建立一个照片档案。

要想成为破案专家,你所在城市的地图、周边区域地形图绝对不能缺少。

图钉板

任何信息都可以用图钉钉在那儿。如果你也是某个冒险小分队的成员,那么就把写着你同伴名字的牌子挂在

上面。

这样,在你要给其中某个人留口信的时候,就可以把写着口信的纸条钉在他的名字下面了。

录音机

要把说的话录下来,录音机是必不可少的。

想把你和别人之间的谈话录下来吗?那么就在书架里藏一个录音机。麦克风嘛,可以藏在一处盆栽植物的后面。

也许你的录音机是那种用按钮来控制录音开关的,这样的话,想偷偷打开录音机,只需要在盆栽植物周围装模作样地摆弄几下就行了,别人很难察觉到!

隐秘报警装置

或许你已经拥有一只电铃或者警

笛,那么就把它的按钮安在你的写字台下面吧。

你应该见过落地灯的那种按钮吧?用脚踩来控制的那种。这种按钮再合适不过了。情况紧急的时候就可以用脚踩来报警了。

镜子和手电筒

窗户旁边始终都得放着镜子和手电筒。不管白天还是黑夜,你要发闪光信号时用得着它们。

来人有多高

将卷尺固定在门边,并分别在1米、1.5米和2米处做上醒目的标记。一旦有陌生人进来,你马上就能知道他大约有多少高了。

案犯模拟像

有些绘图人员是专门画案犯模拟像的专家。只要证人描述案犯的外貌特征，他们就能根据描述画下来，让证人看过后再不断修改。

现在，电脑也能制作案犯模拟像了。电脑里面储存了数以百计的面部轮廓，还有发型、眼睛、鼻子、眼镜、胡子、嘴等等的形状。你可以随意将它们组合起来，构成案犯的模拟像。

这样的模拟像能够帮助警方尽快找到案犯，将他缉拿归案。

什么是罐头盒机关

旧罐头盒可以充当很好的警报器。把它们挂在窗户的上沿，一旦有人破窗而入，它们会叮叮当当地响起来。但是要注意：可不能让窗外的人看到它。

将一根木棍顶在门上，木棍上拴几

个罐头盒。一旦有人推门，连棍子带盒子都会倒下，声音可够大的。

在门把手上挂上罐头盒，当有人按下门把手的时候，它们同样会发出响声。

什么是花生壳机关

把花生壳撒到你认为有人会偷偷出现的地方。等到那人悄悄溜过来的时候，花生壳就会噼啪作响，他马上就暴露了！手头要是没有花生壳，用油炸土豆片代替也行，但要当心这样会留下污渍斑点。不过土豆片的声音也是很清脆的。

什么是小虎潜行训练游戏

这可是个很有意思的游戏。游戏的组织者在屋子的地面上竖起罐头盒，撒上小树枝，扯起细线并在线上挂上铃铛，再布置好罐头盒警报装置。这段时间，其他游戏参加者要一直等在屋子外面不许

偷看。

　　游戏组织者布置完毕后，将灯光熄灭。要求屋子里必须一团漆黑。

　　等游戏组织者喊"开始"以后，第一个人就可以进入房间了。他必须设法走到游戏组织者身边去，而尽量不弄出响声。谁弄出的声响最少，谁就赢得这次游戏的胜利。

获取指纹需要什么工具

　　一把软刷子。
　　指纹粉。
　　胶带纸。

白色和黑色的小卡片。

下面几样东西可以充当指纹粉：

极细的爽身粉。

用砂纸从炭笔上磨下来的粉末。

用砂纸从铅笔芯上磨下来的粉末。

把这些粉末装在小袋子或是小盒子里，注意密封，最好用胶带纸粘好。

获取指纹的方法：

有了这些粉末，你可以从任何光滑的平面上获取指纹。

先用刷子小心地把粉末涂在平面上，直到指纹清晰显现为止。

然后吹掉多余的粉末。

取一条胶带纸，用力将它按在平面上。(最好用指甲按，粘贴面朝下)

把胶带纸揭下，指纹便留在胶带纸上了。

再把胶带纸粘在卡片上。(用白色粉末获取指纹的粘在黑色卡片上，用其余

颜色的粉末获取指纹的粘在白色卡片上)

别忘了在卡片上写清楚:指纹取自何处,是什么时间提取的。

怎样制作指纹索引卡片

你需要一个印台,用来放置印泥。手指先按一下印泥,然后按在卡片上。

顺序当然必须正确:

左手:小指、无名指、中指、食指、拇指。

右手:拇指、食指、中指、无名指、小指。

在卡片上尽量多地记录指纹主人的信息,比如姓名、地址、生日、电话号码等。

路克的百宝箱里都有些什么

路克的那种百宝箱,你也可以动手制作一个,用一个有很多夹层和口袋的包就可以了。路克的百宝箱里装着很多他收集来的电子设备，还有一个带屏幕的、可以手写输入的迷你电脑。除此之外还有：

一本记事簿。记事簿的头两页上记满了家庭作业和课堂笔记，不仔细看的话根本就发现不了里面的那些秘密草图。

一支圆珠笔、一支铅笔。有的圆珠笔在水中都可以写字，也可以把字写在石头、塑料和房间的墙壁上。过生日的时候向父母或朋友要一支这样的笔作为礼物吧！

放大镜。路克的百宝箱里甚至有两个放大镜：一个小一点的，一个放大倍数很高的。

一把镊子。

一些指纹粉。

一些小袋子和信封。用来装小一点的可疑物品。

一把卷尺。

一些大一点的空白纸。比如用来画下足迹的延伸路线。

一架照相机。

一支很亮的手电筒。

一把可以塞进兜里的小刀或者剪子。

留暗号用的彩色粉笔。每个人都有自己的颜色。路克用绿色的,碧吉用黄色的,帕特里克用白色的。

用来打投币电话的硬币。

橡胶手套。戴上这种手套可以不破坏现场留下的任何痕迹,而且也能保证不留下任何手印。

裁判用的哨子。危急情况下可以隔着很远的距离相互联络。

怎样制作一本小虎秘密记事簿

要是有人翻看,只能看到上面画着些蚯蚓和兔子什么的,似乎毫无意义。但

是,里面却隐藏着重要记录!

窍门:

找一本小一点的记事簿,要是笔记本就更好了。最上面的一页不要动,从第二页开始每隔一页将纸的右边缘剪去3毫米。

现在翻一下你的记事簿或笔记本试试,你翻开的都是较大的页面,而被剪去了3毫米的页面都藏在了里面。这些页

面上可以记秘密记录，而大页面上只作普通笔记。

怎样制作一架隐形照相机

用隐形照相机就可以神不知鬼不觉地把别人和景物拍下来了。首先，你得有一架自动卷片的照相机，以便拍很多张照片。然后就要把它隐藏起来，比如藏在一个旧书包里。

在书包的侧面抠一个小洞，好让照相机的镜头毫无遮拦地从里向外"观望"。在书包里面，用那种宽的胶带纸把机身固定好，防止它移开。

你可以把包抱在胸前，装作在里面翻找东西的样子，同时将镜头对准可疑的人，借机按动快门。不过事先最好试验一下，看看怎么拿包才能确保可以拍到想要的画面。

碧吉的化妆粉盒里都有些什么

碧吉从来不化妆，但是她有个粉盒。小虎们追踪重要线索的时候，粉盒里的东西就能派上大用场。

通过粉盒里的镜子，就可以观察自

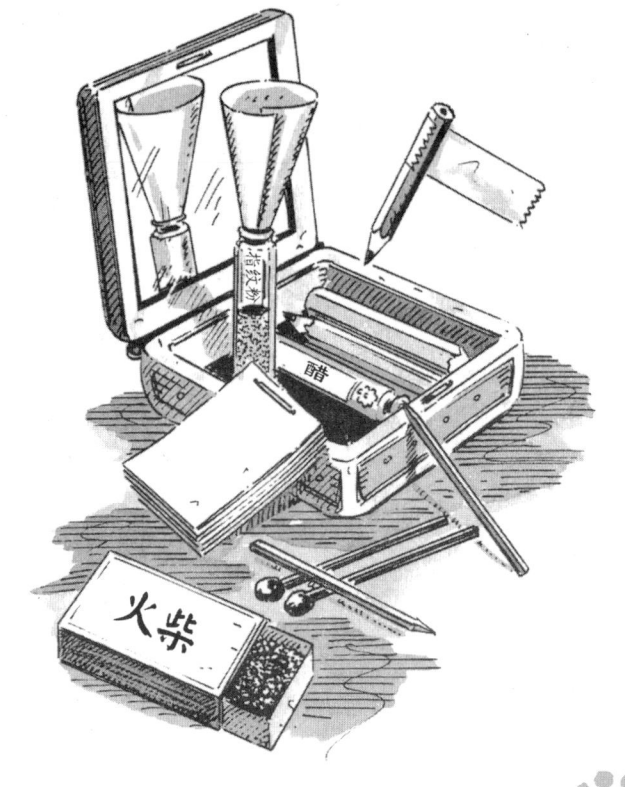

己身后的动静了。它也可以用来发闪光信号,或者是用来观察墙后面和拐角处的动静。

粉盒里早就没有粉了。是妈妈把粉用光以后,碧吉把它要过来的。她在里面装了很多其他有用的东西:

迷你铅笔。找一支铅笔,越细越好,把它锯成几段,再把每段削尖,放进粉盒里。

迷你记事簿。把薄纸条裁成邮票大小,再将上边缘订在一起,就做成了迷你记事簿。

将一些胶带纸缠在铅笔上,提取指纹的时候就用得上了。

装过香水的空瓶子是很小的。这样的小瓶子可以用来盛指纹粉,不过要先用纸做一个漏斗才行。

另一个空的香水小瓶子里可以装上醋,然后再带上些削得尖尖的火柴。这样你就可以用醋写下别人看不见的秘密消息了。

如果你没有粉盒的话,也可以用小金属盒,或者雪茄烟盒。在盒盖的背面贴上一面镜子,一个迷你侦探工具箱就做好了!

桌布、手帕和旧大衣能派什么用场呢?

你想改变模样、偷偷跟踪某人吗?那就把自己塞成个胖子吧!用桌布、手帕等做成肚子、加宽肩膀,用腰带或绳子把它们固定住。再找来一件比你的衣服号码大很多的旧大衣,罩在外面。这下,你的身材就完全不一样了!

小虎队盟友破案成绩卡

林中飘过白衣女人

第四只小虎

□□□□□□□□□□□□□□□□□□□□□□□□□□□□□□□□□□

（你的名字）

你总计解了……

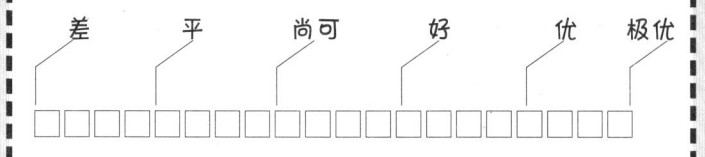

| 差 | 平 | 尚可 | 好 | 优 | 极优 |

……谜题

[签名认证]

碧吉　　路克　　帕特里克

作者

名:托马斯　　　　　　**姓**:布热齐纳

生日:1月30日　　　　**头发颜色**:棕色

眼睛颜色:棕色　　　　**特征**:大髭须

我喜欢:

　　饮食:中式米饭和意大利面条

　　饮料:所有一切酸的和彩色的饮品

　　颜色:红色

　　动物:我的狗——大菲

　　音乐:抑扬顿挫

　　课程:休假

业余爱好:收集钟表,喜欢拍一些疯狂的照片

我讨厌:无聊透顶的人、牛皮大王、蠢货

我梦想的职业:已成为现实

我最大的愿望:做一次月球旅行

托马斯·布热齐纳

图字：11－2006－76 号

图书在版编目（CIP）数据

林中飘过白衣女人/［奥］托马斯·布热齐纳著;刘沁卉译.—杭州:浙江少年儿童出版社,2007.1(2010.6重印)

（超级成长版冒险小虎队）

ISBN 978-7-5342-4231-1

Ⅰ.林… Ⅱ.①托…②刘… Ⅲ.儿童文学-侦探小说-奥地利-现代 Ⅳ.I521.84

中国版本图书馆 CIP 数据核字(2006)第 138567 号

Author:Thomas Brezina   Title:Die weiβe Frau   Cover-illustrations and inside-illustrations:Werner Heymann
Copyright © 2005 by Egmont Franz Schneider Verlag GmbH, München
www.schneiderbuch.de   www.thomasbrezina.com
Chinese language edition arranged through HERCULES Business & Culture Development GmbH, Germany
·全球中文版权授予浙江少年儿童出版社出版发行
·版权所有 翻印必究

策 划 人 袁丽娟 责任编辑 袁丽娟 美术编辑 赵 洋
装帧设计 裤 兜 解密制作技术 阙 云

超级成长版冒险小虎队

林中飘过白衣女人

［奥地利］托马斯·布热齐纳 著

维尔纳·埃曼 插图

刘沁卉 译

浙江少年儿童出版社出版发行
（杭州市天目山路 40 号）
浙江新华数码印务有限公司印刷 全国各地新华书店经销
开本 787×1092 1/32 环衬1 插页 2 印张 7 字数 72000 印数 495616—510640
2007 年 1 月第 1 版 2010 年 6 月第 25 次印刷

ISBN 978—7—5342—4231—1 定 价:12.80 元
（如有印装质量问题,影响阅读,请与购买书店联系调换）

小虎工具房

欢迎你来到小虎工具房。这里有《林中飘过白衣女人》侦破行动必需的破案小工具。

侦破密门的综合卡

密 门

挂毯后面的门

柜子后面的门

雕像下面的门。沉重的雕像可以用一个秘密机关轻而易举地移开。

侦破密门的综合卡

密　门

书架后面的门。开门机关通常是架上的某本书。

墙上的巨幅油画后面的门。画框上的木雕可能是开门机关。

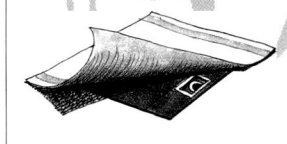

地毯下面可能藏着向下延伸的暗道入口。

视觉幻象图案

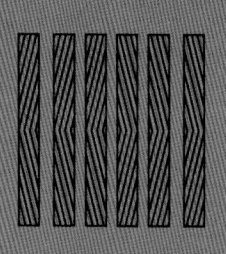

这些木板是弯曲倾斜的吗?

从其中一个角看整个图案,产生了什么图案?

这三个正方形一样大吗?

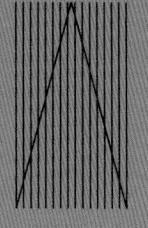

这些线条都被切断了吗?

视觉幻象图案

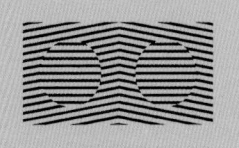

两个圆中的线条是否向图案中部倾斜?

圆中正方形的四条边是向内弯曲的吗?

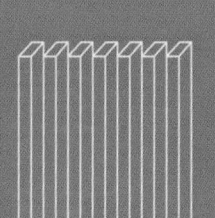

一共有多少块木板?

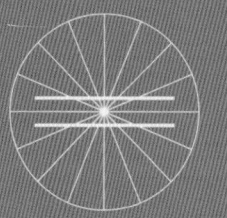

图中两条水平线条是弯曲的吗?